义务教育教科书

# 数学

## 四年级

### 上册

人民教育出版社 课程教材研究所
小学数学课程教材研究开发中心 编著

人民教育出版社
·北京·

主　　编：卢　江　杨　刚
副 主 编：王永春　陶雪鹤

主要编写人员：向鹤梅　梁秋莲　袁玉霞　曹培英　李晓梅　斯苗儿　陶雪鹤
王永春　丁国忠　张　华　周小川　熊　华　刘　丽　刘福林
责任编辑：刘福林
美术编辑：郑文娟

封面设计：吕　旻　郑文娟
版式设计：北京吴勇设计工作室
插　　图：北京吴勇设计工作室（含封面）

义务教育教科书
数　学
四年级　上册
人民教育出版社　课程教材研究所
小学数学课程教材研究开发中心　编著
*
人民教育出版社　出版发行
网址：http:// www.pep.com.cn
北京恒艺博缘印务有限公司印装　全国新华书店经销
*
开本：787 毫米 ×1 092 毫米　1/16　印张：7.75　字数：155 000
2014 年 3 月第 1 版　2015 年 6 月第 3 次印刷
ISBN 978－7－107－28096－2　定价：7.75 元

# 编者的话

亲爱的同学：

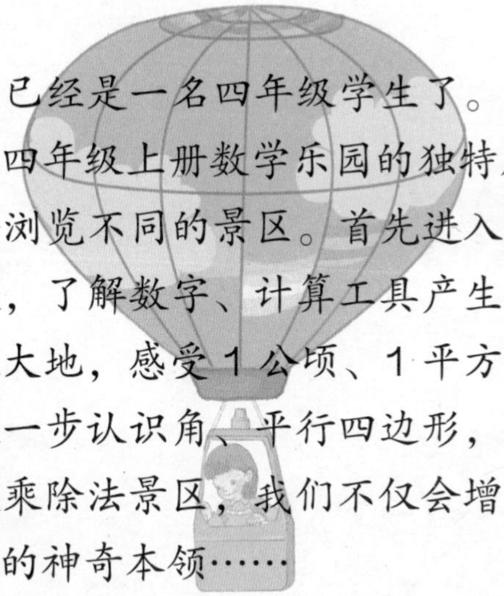

新学期开始了，你已经是一名四年级学生了。现在让我们一起走进数学王国，去领略四年级上册数学乐园的独特风光吧。

这次旅途，我们将浏览不同的景区。首先进入的是认数景区，在这里我们将感受大数，了解数字、计算工具产生的历程；接着我们将乘上热气球，俯瞰大地，感受 1 公顷、1 平方千米的大小；步入几何景区，我们将进一步认识角、平行四边形，并结识梯形；来到乘数、除数是两位数乘除法景区，我们不仅会增长计算技能，还将欣赏并领悟运算规律的神奇本领……

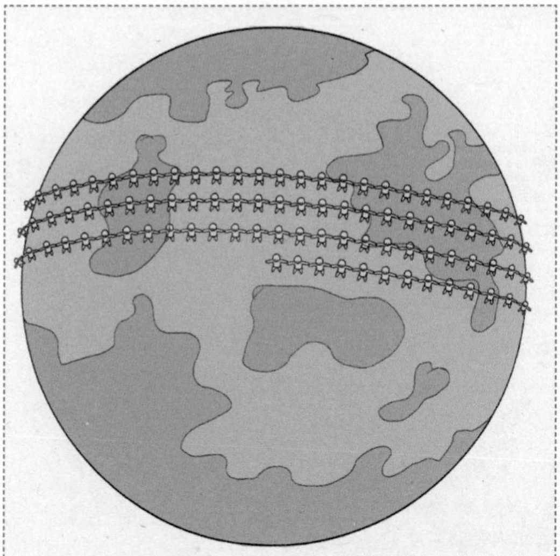

1 亿个小学生手拉手可以绕地球赤道 3 圈半。

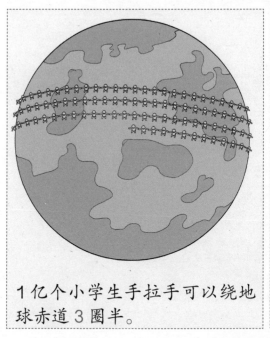

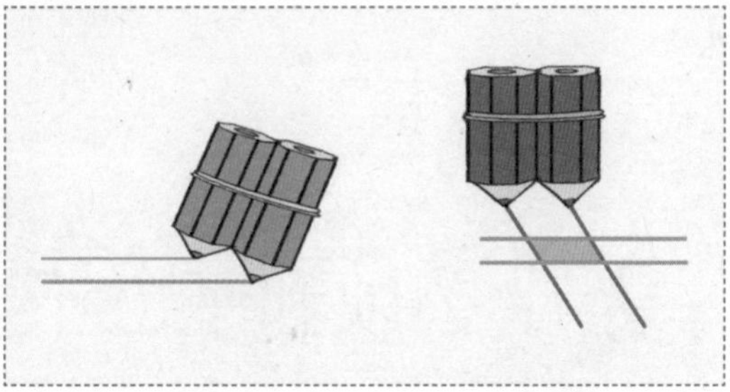

同学们，本次数学之旅不仅能使我们学到知识，增长本领，还会让我们感受到数学思想方法的魅力。祝旅途愉快！

编者

2013 年 5 月

# 目 录

# 1 大数的认识

下面是 2010 年全国第六次人口普查的数据。

北京：19612368 人

西藏：3002166 人

四川：80418200 人

河南：94023567 人

新疆：21813334 人

黑龙江：38312224 人

我国总人口数：
1339724852 人

# 亿以内数的认识

**1** 在日常生活和生产中，我们经常用到比万大的数。

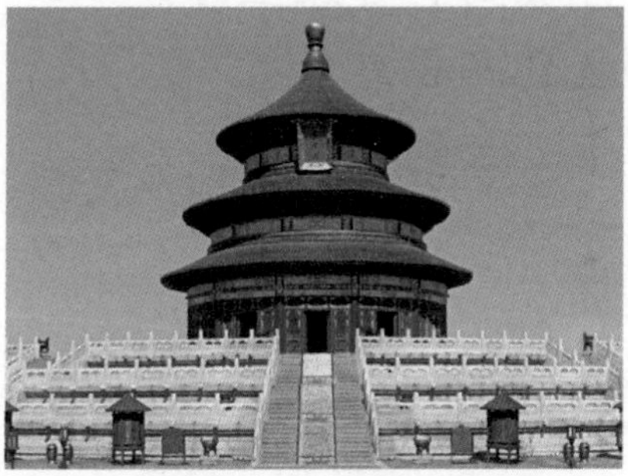

北京市人口：19612368 人

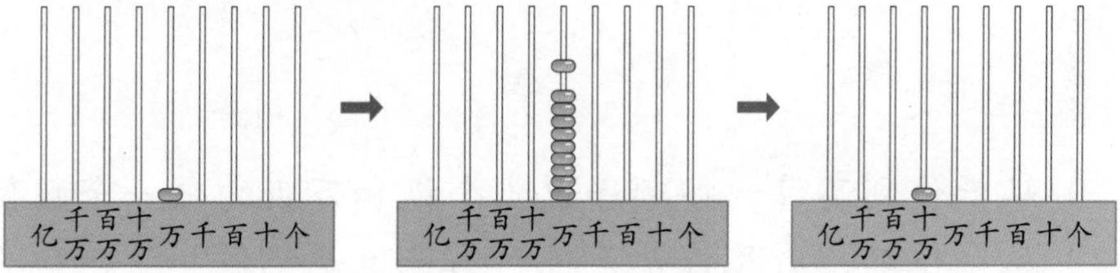


一万一万地数，10 个一万是**十万**。继续数下去：

10 个十万是**一百万**，
10 个一百万是**一千万**，
10 个一千万是**一亿**。

想一想：每相邻两个计数单位之间有什么关系？

在用数字表示数的时候，这些计数单位要按照一定的顺序排列起来，它们所占的位置叫做**数位**。

| 亿级 | | 万级 | | | | 个级 | | | |
|---|---|---|---|---|---|---|---|---|---|
| …… | 亿位 | 千万位 | 百万位 | 十万位 | 万位 | 千位 | 百位 | 十位 | 个位 |
| | | 1 | 9 | 6 | 1 | 2 | 3 | 6 | 8 |

（第一行 ← 数级*；第二行 ← 数位）

表示 6 个十万（指向十万位上的 6）

说说其他数位上的数各表示多少。

* 按照我国的计数习惯，从右边起，每四个数位是一级。

## 做一做

1. 在计数器上拨数。

（1）一万一万地数，从九十六万数到一百零三万。

（2）十万十万地数，从七十万数到一百万。

（3）一千万一千万地数，从八千万数到一亿。

2. 你能填出数位顺序表吗？试一试。

| 亿级 | | 万级 | | | | 个级 | | | |
|---|---|---|---|---|---|---|---|---|---|
| …… | | | | | | | | | |

（1）从低位到高位，按顺序说出个级和万级的每一个数位。

（2）从个位起，第几位是万位？第几位是亿位？

（3）万位的右面一位是什么位？左面一位呢？

### 你知道吗？

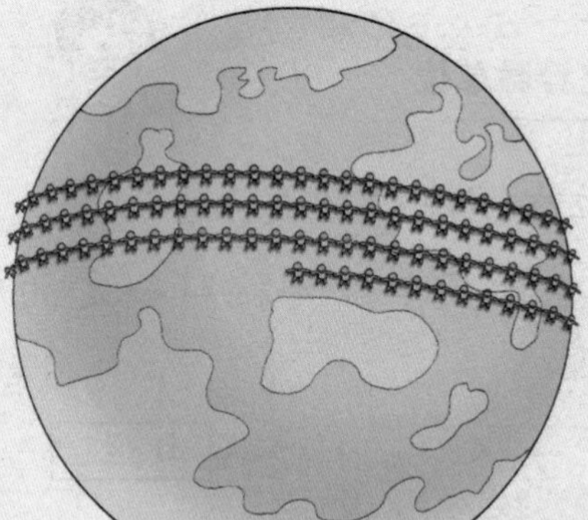

1亿个小学生手拉手可以绕地球赤道3圈半。

每秒画1个点，一刻不停地画。
1，2，3……
画3年2个多月。
……1亿。

**2** 读出下面各数。

| 千万位 | 百万位 | 十万位 | 万位 | 千位 | 百位 | 十位 | 个位 | |
|---|---|---|---|---|---|---|---|---|
| | | | | 2 | 4 | 9 | 6 | 读作：______ |
| 2 | 4 | 9 | 6 | 0 | 0 | 0 | 0 | 这个数怎么读？ |
| | 3 | 0 | 8 | 0 | 0 | 0 | 0 | |
| 4 | 0 | 5 | 0 | 0 | 0 | 0 | 0 | |

二千万四百万
九十万六万。

二千四百九十六万。

哪种读法比较简便？试读上面剩下的两个数。

万级的数和个级的数在读法上有什么相同点和不同点？

**3** 读出下面各数。

| 千万位 | 百万位 | 十万位 | 万位 | 千位 | 百位 | 十位 | 个位 | |
|---|---|---|---|---|---|---|---|---|
| | | | 5 | 4 | 6 | 2 | 1 | 读作：五万四千六百二十一 |
| | 6 | 4 | 0 | 7 | 0 | 0 | 0 | 读作：______ |
| 1 | 0 | 0 | 3 | 0 | 0 | 4 | 0 | 读作：______ |

含有两级的数怎么读？

1. 先读 ______ 级，再读 ______ 级；
2. 万级的数，要按照个级的数的读法来读，再在后面加上一个“万”字；
3. 每级末尾不管有几个0，都 ________，其他数位上有一个0或连续几个0，都 ________。

## 做一做

1. 读出下面每组数。

34 和 34|0000　　　3004 和 3004|0000

340 和 340|0000　　　3040 和 3040|0000

2.

| 千万位 | 百万位 | 十万位 | 万位 | 千位 | 百位 | 十位 | 个位 |
|---|---|---|---|---|---|---|---|
| | | 5 | 6 | 9 | 2 | 0 | 0 |
| | 3 | 7 | 0 | 6 | 0 | 0 | 0 |
| 4 | 0 | 0 | 8 | 0 | 5 | 0 | 1 |

3. 小组交流，怎样读比较方便。

32680　　5205000　　1200605　　107070

470050　　3070800　　30600900　　100000000

### ◎ 你知道吗？◎

生活中我们有时会看到三位一分节的大数。

这与使用英语的国家（如英国、美国等）以三位分级读数的方法有关。

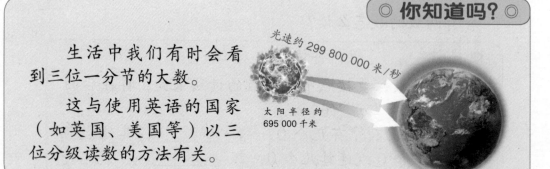

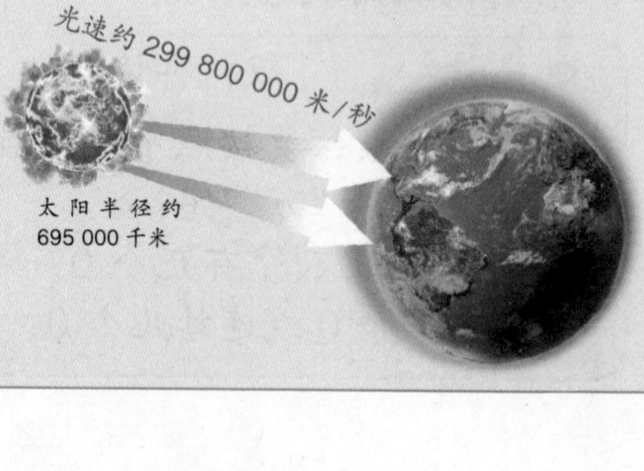

**4** 北京大钟寺的永乐大钟内外共铸了二十三万零一百八十四个字。

你能写出横线上的数吗？

| | 千万位 | 百万位 | 十万位 | 万位 | 千位 | 百位 | 十位 | 个位 |
|---|---|---|---|---|---|---|---|---|
| 二十三万 零一百八十四 写作： | | | 2 | 3 | 0 | 1 | 8 | 4 |
| 十万二千三百四十五 写作： | | | | | | | | |
| 三百零二万六千 写作： | | | | | | | | |
| 二千零四十万零七百 写作： | | | | | | | | |

先看这个数有几级，这个数有两级，先在万级上写 ____，再在个级上写 ____。

千位上一个单位也没有，写0。

含有两级的数怎么写？

1. 先写 ____ 级，再写 ____ 级；
2. 哪个数位上一个单位也没有，就在那个数位上写 ____。

## 做一做

| | 千万位 | 百万位 | 十万位 | 万位 | 千位 | 百位 | 十位 | 个位 |
|---|---|---|---|---|---|---|---|---|
| 三百二十六万七千五百 写作： | | | | | | | | |
| 四万零九十 写作： | | | | | | | | |
| 九千零二十万零三百 写作： | | | | | | | | |
| 一百万 写作： | | | | | | | | |

# 练习一

1. 写出横线上的数字表示的含义。

3 2086　　9 3787　　10 7398　　69 0250

2. 照样子说一说。

4 7578　　28 0064

表示 4 个万，7578 个一。

表示 28 个万，64 个一。

498909　　2700006　　55523870

3. 你能正确地读出第 2 页上的数吗？

4. 写出下面横线上的数。

正常人的心脏一年大约要跳四千二百万次。

地球赤道周长四千零七万五千七百米。

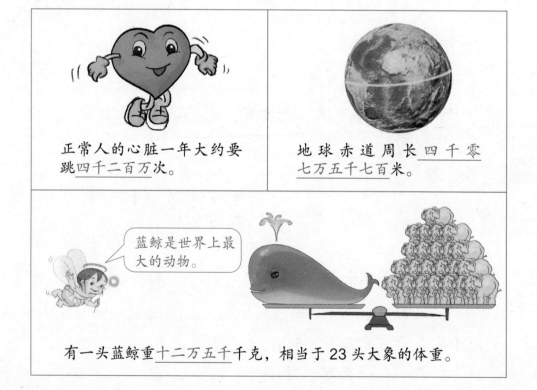

蓝鲸是世界上最大的动物。

有一头蓝鲸重十二万五千千克，相当于 23 头大象的体重。

5. 写出下面各数。

三百六十万二千　　　　五十四万零三百七十

六万八千九百二十　　　四千六百四十一万

十万零五　　　　　　　一千零五十万零三十

6. 你能用不同的方式表示下面的数吗？

4853000　　6009500　　80000040

440000

这个数由四十万和四万组成。

440000=400000+40000

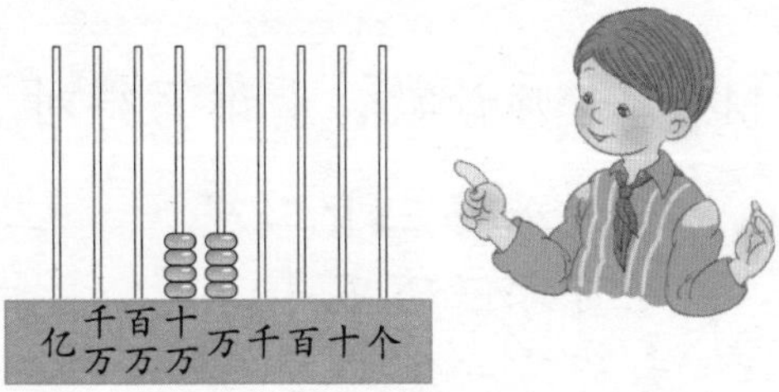


7. 用附页中的图片做一个转盘，练习读数、写数。

8. 写出横线上的数。

光的传播速度大约是每秒二十九万九千八百千米。

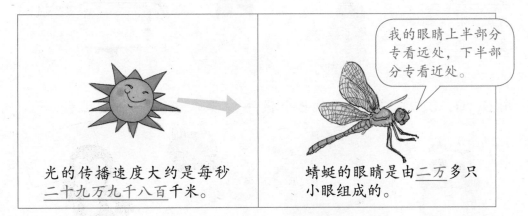

我的眼睛上半部分专看远处，下半部分专看近处。

蜻蜓的眼睛是由二万多只小眼组成的。

9. 连线。

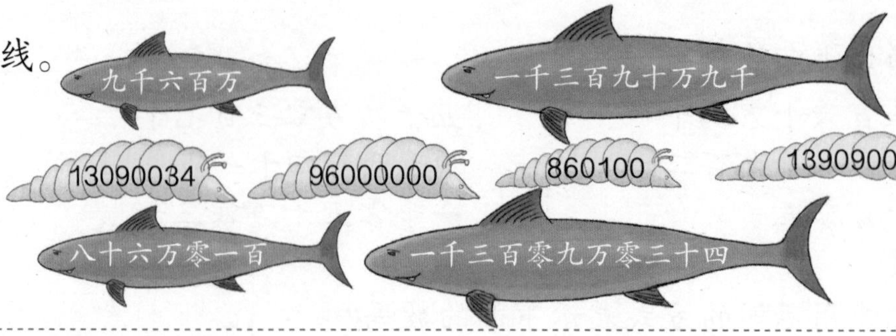


10. 在家长帮助下收集有关大数的信息，在全班交流。

11. 听老师读数，看谁写得对。

四千八百三十二万　　　二万八千五百八十七
七百零三万五千　　　　十四万二千九百五十
六万零一百二十三　　　三千七百万零四十

12. 写出下面的数。

（1）四百万、八十万、五万和三千。
（2）六千零九万零五百。
（3）4000000 + 600000 + 70000 + 8000 + 2

13. 下面哪些说法不合理？

14.* 用0，0，0，1，2，3，4七个数字按要求组成一个七位数。

**5** 下面是2011年几个国家到我国旅游的人数。（单位：人）

美国：2116100

日本：3658200

泰国：608000

俄罗斯：2536300

印度：606500

韩国：4185400

你会比较每两个国家到我国旅游的人数吗？

位数相同的两个数，从最高位比起，最高位上的数大的那个数就____，如果最高位上的数相同，就比较下一个数位上的数。

## 做一做

1. 比较下面每组中两个数的大小。

92504 ◯ 103600　　　50140 ◯ 63140

28906 ◯ 28890　　　620300 ◯ 307300

2. 按照从小到大的顺序排列下面各数。

50500　　500500　　55000　　40005

## 6

白细胞：能消灭病菌，清洁血液。
红细胞：能输送氧气。

一小滴血液含有：

红细胞：5000000 个 = 500 万个

白细胞：　10000 个 = ____ 万个

有时为了读写方便，把整万的数改写成用“万”作单位的数。

### 做一做

1. 把下面的数改写成用“万”作单位的数。

250000　　　　3200000　　　　7580000

2. 读出下面各数，然后把它们改写成用“万”作单位的数。

（1）一个人的头发约有 80000 到 90000 根。

（2）一个人的血管总长约 40000000 米。

（3）人一年平均眨眼睛约 55000000 次。

（4）2010 年上海世博会共有约 2000000 名志愿者，累计参观人数约 73080000 人次。

**7** 在生产和生活中，人们经常使用近似数。

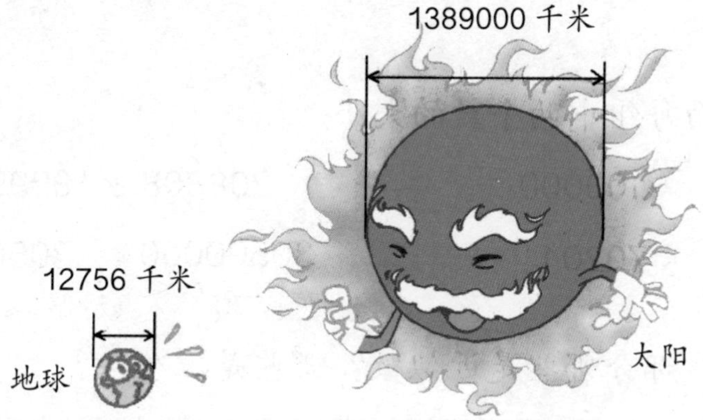


地球的直径大约是多少万千米？太阳呢？

12756 ≈ 10000
=1 万

小于5，把它和右面的数全舍去，改写成0。

1389000 ≈ 1390000
=139 万

大于5，向前一位进1，再把它和右面的数全舍去，改写成0。

这种求近似数的方法叫“四舍五入”法。
是“舍”还是“入”，要看省略的尾数部分的最高位上的数是小于5还是等于或大于5。

## 做一做

2010 年 5 月 1~3 日，中国科技馆三天共接待 84455 人次。

| 原　数 | 要　求 | 近似数 |
|---|---|---|
| 84455 | 省略百位后面的尾数 | |
| | 省略千位后面的尾数 | |
| | 省略万位后面的尾数 | |

# 练 习 二

1. 比较下面每组中两个数的大小。

98965 ◯ 100000　　　　208808 ◯ 99999

70060 ◯ 70201　　　　30500000 ◯ 3050000

2. 下面画线部分哪些是近似数？哪些是准确数？

身高约 140 厘米，体重约 35 千克。

四（2）班有 56 人，全校有 730 人。

我们能飞过去吗？
能，我们最高能飞 9000 多米。

大天鹅可以飞越海拔 8800 多米的珠穆朗玛峰。

3. 求下面各数的近似数（省略万位后面的尾数）。

| 地　区 | 人口数 / 人 | 人口数 / 万人 |
|---|---|---|
| 上　海 | 23019148 | |
| 山　东 | 95793065 | |
| 浙　江 | 54426891 | |
| 湖　南 | 65683722 | |
| 广　西 | 46026629 | |
| 云　南 | 45966239 | |

这是我国第六次人口普查的数据。

你还想了解其他地区的人口数吗？请到互联网上查一查。

4. 先写出横线上的数，再省略万位后面的尾数求出近似数。

（1）2012 年故宫博物院宣布，现有藏品一百八十万七千五百五十八件，其中珍贵文物一百六十八万四千四百九十件。

（2）全世界鱼类有一万九千零五十六种。

5. 在 ○ 中填上 “>” “<” 或 “=” 。

53780 ○ 62500　　　　30300 ○ 30030

89500 ○ 101210　　　　756420 ○ 756542

6. 根据各行星到太阳的平均距离，分别写出它们的名称。

| 行　星 | 到太阳的平均距离 / 千米 | 到太阳的平均距离 / 万千米 |
| --- | --- | --- |
| 火　星 | 227940000 | |
| 天王星 | 2870990000 | |
| 地　球 | 149600000 | |
| 金　星 | 108200000 | |
| 水　星 | 57910000 | |
| 木　星 | 778330000 | |
| 海王星 | 4504000000 | |
| 土　星 | 1429400000 | |

## 数的产生

古时候，人们在生产劳动中，逐渐有了计数的需要。

用实物记数

结绳记数

刻道记数

这样太不方便了。

后来人们发明了一些记数符号，这些记数符号就叫做数字。

巴比伦数字： 

中国数字： 𝍠 𝍡 𝍢 𝍣 𝍤 𝍥 𝍦 𝍧 𝍨

罗马数字： Ⅰ Ⅱ Ⅲ Ⅳ Ⅴ Ⅵ Ⅶ Ⅷ Ⅸ

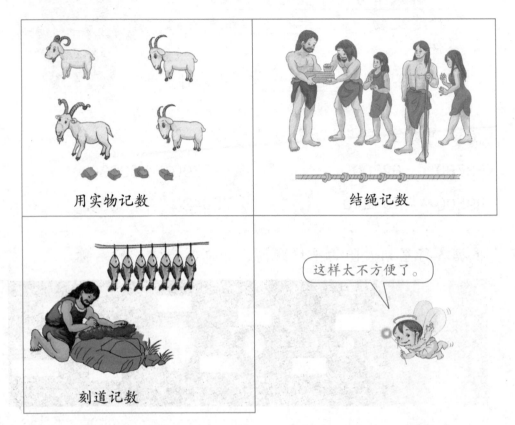

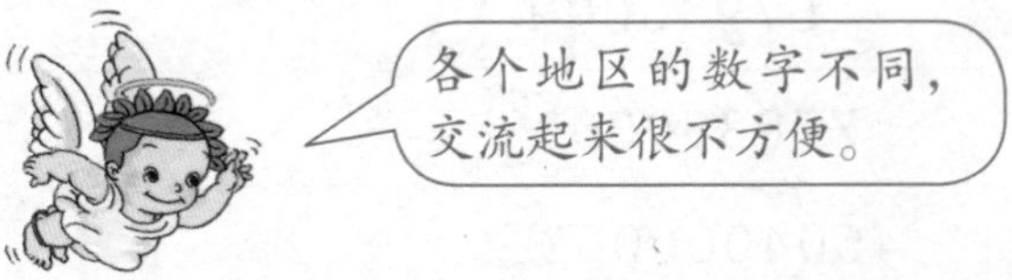

各个地区的数字不同，
交流起来很不方便。

经过很长时间，才逐渐统一成现在这种通用的阿拉伯数字。

数字可以用来记录物体的个数。

表示物体个数的1，2，3，4，5，6，7，8，9，10，11，…都是**自然数**。一个物体也没有，用0表示，0也是自然数。所有的自然数都是整数。

最小的自然数是0，没有最大的自然数，自然数的个数是无限的。

## 你知道吗？

大约在3世纪时，印度人发明了一种特殊的数字。

后来，这种印度数字传到了阿拉伯。

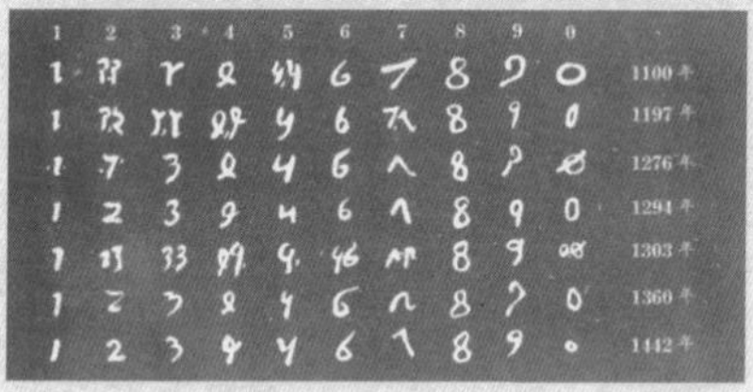

大约在12世纪时，阿拉伯商人又把印度数字带到了欧洲，欧洲人称它们为“阿拉伯数字”。

1234567890
这就是今天的阿拉伯数字。
噢！原来阿拉伯数字不是阿拉伯人发明的。

慢慢地，阿拉伯数字成为一种通用的数字。

## 十进制计数法

在生产和生活中往往要遇到比亿大的数。

现代科学研究表明，人一生心跳约 25~30 亿次。

中国第六次人口普查

1339724852 人

从一亿开始，还可以继续数下去：

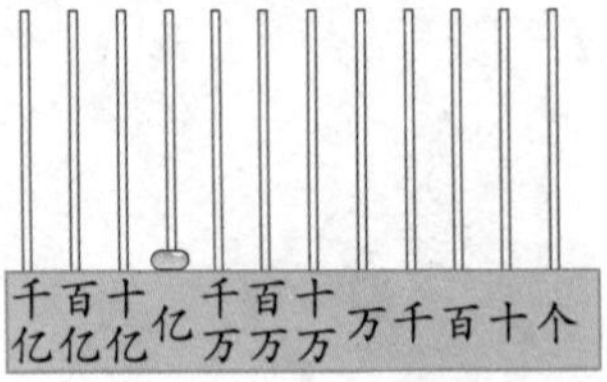


10 个一亿是**十亿**，
10 个十亿是**一百亿**，
10 个百亿是**一千亿**。

个（一）、十、百、千、万……亿、十亿、百亿、千亿都是**计数单位**。

用阿拉伯数字写数时，要把计数单位按照一定的顺序排列起来。

| 数级 | …… | 亿级 | | | | 万级 | | | | 个级 | | | |
|---|---|---|---|---|---|---|---|---|---|---|---|---|---|
| 数位 | …… | （　）位 | （　）位 | （　）位 | 亿位 | 千万位 | 百万位 | 十万位 | 万位 | 千位 | 百位 | 十位 | 个位 |
| 计数单位 | …… | （　） | （　） | （　） | 亿 | 千万 | 百万 | 十万 | 万 | 千 | 百 | 十 | 个 |

像这样每相邻两个计数单位之间的进率都是十的计数方法叫做**十进制计数法**。

## 亿以上数的认识

**1**

试读出下面各数。

| 千亿位 | 百亿位 | 十亿位 | 亿位 | 千万位 | 百万位 | 十万位 | 万位 | 千位 | 百位 | 十位 | 个位 | |
|---|---|---|---|---|---|---|---|---|---|---|---|---|
| | | 7 | 0 | 0 | 0 | 0 | 0 | 0 | 0 | 0 | 0 | 读作：七十亿 |
| | 1 | 0 | 0 | 4 | 0 | 0 | 0 | 2 | 0 | 0 | 0 | 读作：________ |
| 4 | 0 | 0 | 3 | 0 | 5 | 0 | 0 | 0 | 0 | 0 | 0 | 读作：________ |

亿以上的数怎么读？

先分级，再从最高级读起……

读完亿级或万级的数，要加“亿”字或“万”字。

还要注意什么位置上的 0 不读，什么位置上的 0 要读，读几个 0。

### 做一做

读出下面各数。

92 | 0000 | 0000　　　　267 | 0500 | 0000

5080 | 4000 | 3000　　　　3 | 0070 | 0400

## 2

| | 千亿位 | 百亿位 | 十亿位 | 亿位 | 千万位 | 百万位 | 十万位 | 万位 | 千位 | 百位 | 十位 | 个位 |
|---|---|---|---|---|---|---|---|---|---|---|---|---|
| 三亿： | | | | 3 | 0 | 0 | 0 | 0 | 0 | 0 | 0 | 0 |
| 三十亿九千万： | | | 3 | 0 | 9 | 0 | 0 | 0 | 0 | 0 | 0 | 0 |
| 七千零三亿零二十万： | | | | | | | | | | | | |

亿以上的数该怎么写？

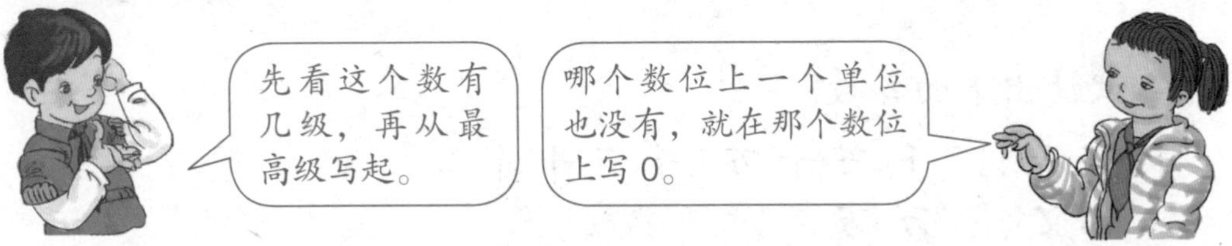

先看这个数有几级，再从最高级写起。
哪个数位上一个单位也没有，就在那个数位上写0。

## 3

把下面各数改写成用“亿”作单位的数。

200000000 = 2 亿

1000000000 = ____ 亿

530500000000 = ____ 亿

可以先分级，找到亿位，再改写。

### 做一做

1. 二十五亿　　写作：__________

   四百九十亿零六十万　　写作：__________

   五千零四亿零七百万　　写作：__________

2. 写出下面各组数。

   （1）三十　　三十万　　三十亿

   （2）一百零七　　一百零七万　　一百零七亿

   （3）九千二百　　九千二百万　　九千二百亿

3. 把下面各数改写成用“亿”作单位的数。

   46000000000 = ____ 亿　　70500000000 = ____ 亿

   120600000000 = ____ 亿　　5800000000 = ____ 亿

我们学过用“四舍五入”法求一个亿以内数的近似数。如729380≈73 万。比亿大的数，也可以用同样的方法求出它们的近似数。

**4** 省略下面各数亿位后面的尾数，求出它们的近似数。

1034500000 ≈ 10 亿

千万位上的数小于 5，把亿位后面的尾数舍去。

9876540000 ≈ ______ 亿

千万位上的数比 5 大，该怎么办？

## 做一做

省略下面各数亿位后面的尾数，写出它们的近似数。

（1）923456000 ≈ ______ 亿　　950228500 ≈ ______ 亿

（2）428000000　　5260230000　　49692000000

### 你知道吗？

2000 多年前，我国古人用算筹记数。

起先没有 0 的记法。

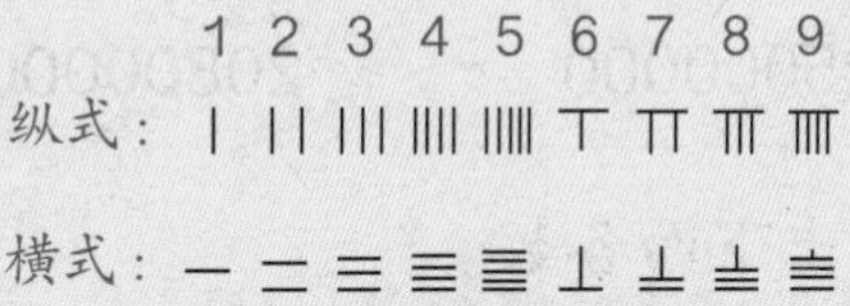


用算筹记数有两种摆法。

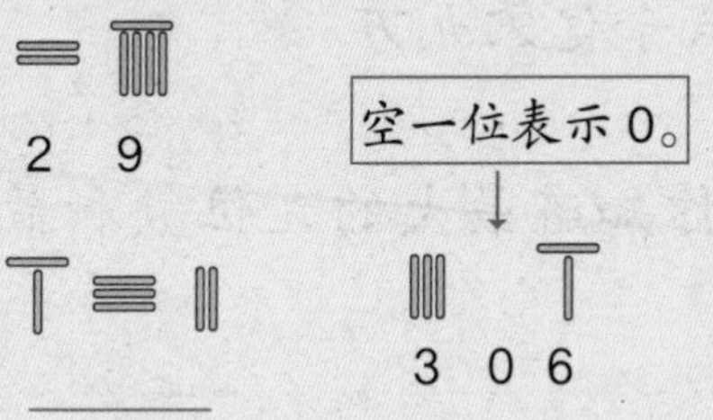


用纵横相间的方式表示一个数。

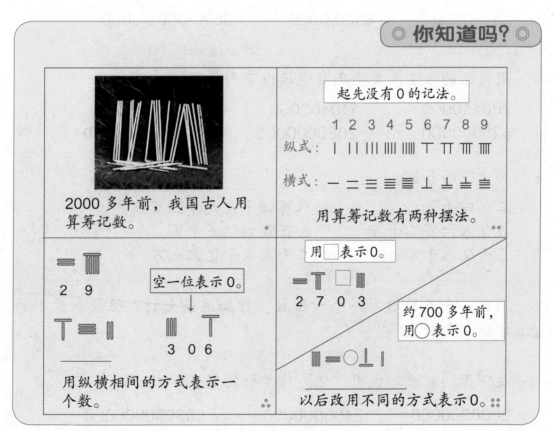

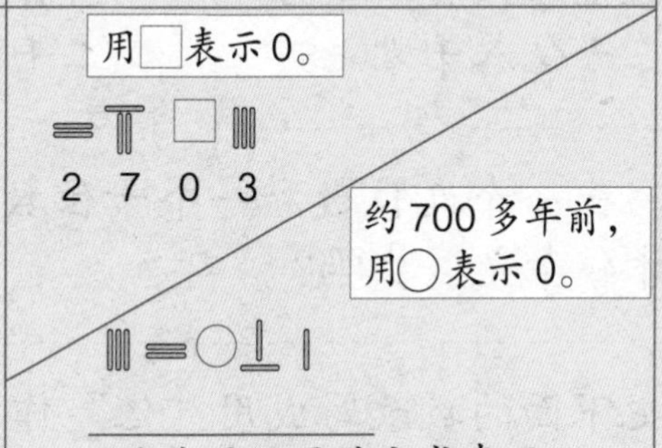

用□表示 0。
2 7 0 3
约 700 多年前，用◯表示 0。

以后改用不同的方式表示 0。

# 练 习 三

1. 一个五位数，它的最高位是什么位？一个九位数呢？一个十二位数呢？

2. 写出一些多位数，说一说每个数字所在的数位和表示的意义。

3. 读出下面每组数。

| | | | |
|---|---|---|---|
| （1） | 65 | 65 0000 | 65 0000 0000 |
| （2） | 4075 | 4075 0000 | 4075 0000 0000 |
| （3） | 3500 | 3500 0000 | 3500 0000 0000 |

4. 用自己的方法，又快又准地读出下面各数。

206410000　　110403060　　60702010000

625000000　　2080000000　　309000500000

5. 写出下面各数。

二亿四千万　　八百四十亿九千三百万

五亿零六百二十万　　六百零四亿五千万

三十亿八千零七万　　二千零六十亿零九万

6. 写出一个九位数和一个十位数。你知道最大的九位数和最小的十位数是多少吗？

7. 把下面的数改写成用“亿”作单位的数。

3000000000　　2400000000　　503000000000

## 计算工具的认识

为了计算方便，人们发明了各种各样的计算工具。

二千多年前，中国人用算筹计算。

一千多年前，中国人又发明了算盘。

17 世纪初，英国人发明了计算尺。

17 世纪中期，欧洲人发明了机械计算器。

20 世纪 40 年代，诞生了第一台电子计算机。

20 世纪 70 年代，发明了电子计算器。

随着科学技术的进步，计算机不断更新。

台式电脑

笔记本电脑

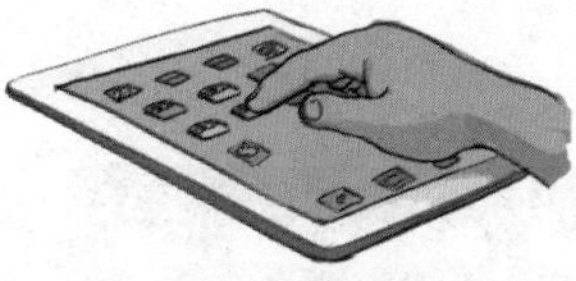

平板电脑

目前，速度最快的计算机 1 秒钟能计算几百万亿次。

# 算盘

算盘是我国古代的发明，是我国的传统计算工具，曾经在生产和生活中广泛应用，至今仍然发挥着它独特的作用。

中药划价用算盘很方便。

我用算盘记数。

你知道算盘的 1 颗上珠表示几？1 颗下珠表示几吗？

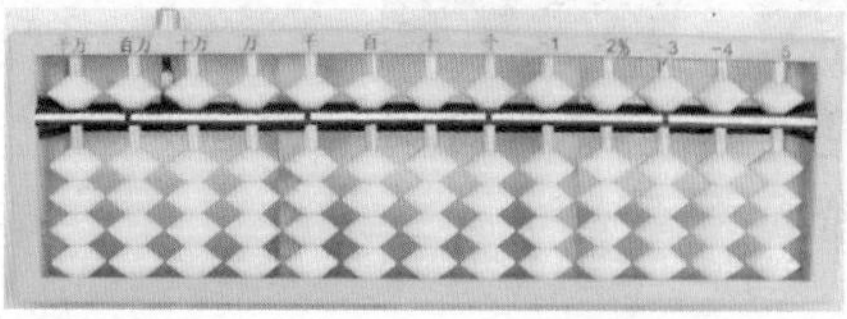

关于算盘你还知道什么？

你能分别写出下面算盘表示的数吗？

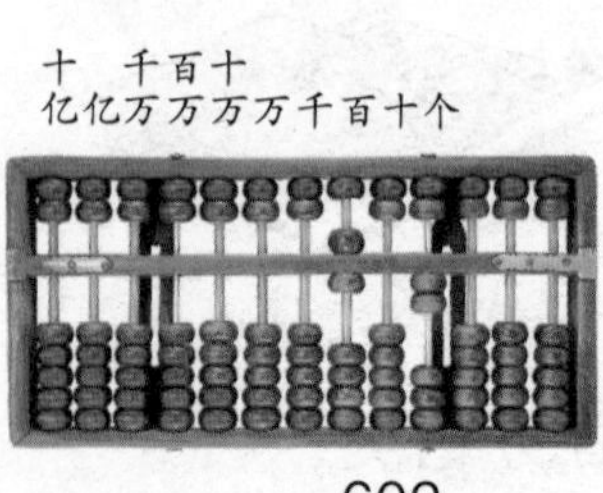


602

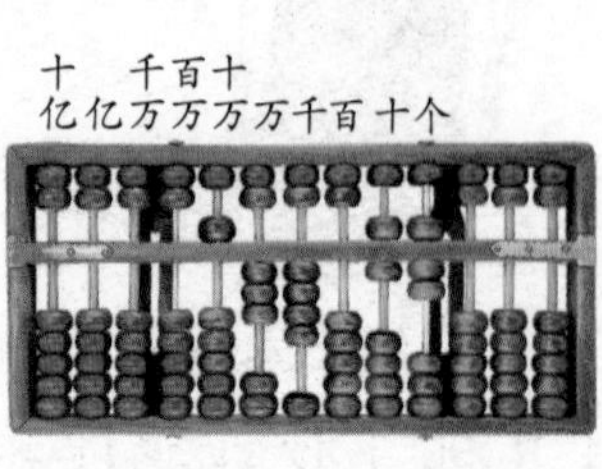


______

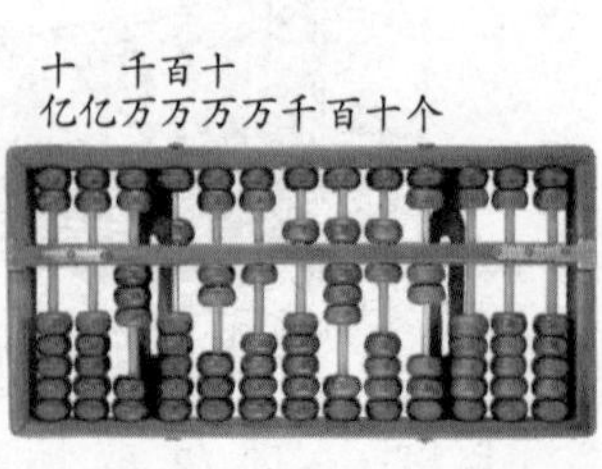


______

## 计算器

计算器是目前人们广泛使用的计算工具。

下面是一种计算器。

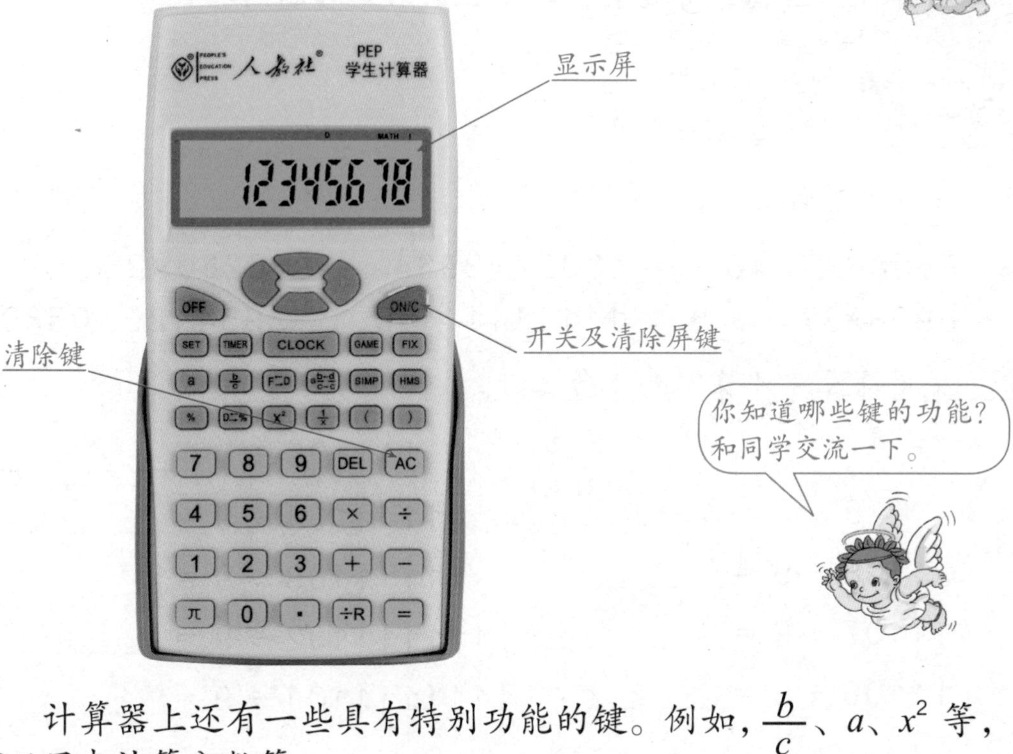


计算器上还有一些具有特别功能的键。例如，$\frac{b}{c}$、$a$、$x^2$ 等，可以用来计算分数等。

1 按照下面的步骤，用计算器算一算。

386+179=______

| 按　键 | 3 8 6 | + | 1 7 9 | = |
|---|---|---|---|---|
| 屏幕显示 | 386. | + 386. | + 179. | = 565. |

自己试试看。

825-138=______　　26×39=______　　312÷8=______

2 用计算器计算下面左边各题。

9999 × 1 = 9999

9999 × 2 =______　　9999 × 5 =______

9999 × 3 =______　　9999 × 7 =______

9999 × 4 =______　　9999 × 9 =______

不用计算器，你能直接写出上面右边各题的答案吗?

做一做

1. 用计算器计算。

55846+7646　　13027-8934　　66280×23

6908×37　　111111111÷9　　395412+10589

2. 先用计算器计算下面左边各题。

9 ÷ 9 = 1

108 ÷ 9 =________

1107 ÷ 9 =________

11106 ÷ 9 =________

111105 ÷ 9 =__________

1111104 ÷ 9 =__________

11111103 ÷ 9 =__________

111111102 ÷ 9 =__________

1111111101 ÷ 9 =__________

不用计算，试写出上面右边各题的结果，并用计算器进行检验。

## ◎ 你知道吗？◎

你知道[M+]、[MR]、[MC]有什么用吗？

有的计算器[MR] [MC]合用一个键[MRC]。

用计算器计算时，如果遇到要重复用一个数，可以先把这个数用[M+]存起来，需要时则用[MR]提取，不需要则用[MC]清除掉。如果是[MRC]则按第一下就会把所存的数调出来，按第二下就会把所存的数清除掉。

我们来试一试。

123+16=

123−16=

123×16=

方法一：先按[1][2][3][M+]把 123 存起来，再接着按：

123+16=？ [MR][+][16][=][139]

123−16=？ [MR][−][16][=][107]

123×16=？ [MR][×][16][=][1968]

方法二：先按[16][M+]把 16 存起来，再接着按：

123+16=？ [123][+][MR][=][139]

123−16=？ [123][−][MR][=][107]

123×16=？ [123][×][MR][=][1968]

存另一个数前，别忘了按[MC]把所存的数清除掉！

用[M+]也可储存计算结果。如：

37×12+46×9=？ [37][×][12][M+] ➡ [46][×][9][+][MR][=]

672÷（139-115）=？ [139][−][115][M+] ➡ [672][÷][MR][=]

# 练　习　四

1. 用计算器计算。

128+284　　371÷7　　36+228-179

532-178　　45×77　　353-95+483

2.

3. 这是一张购买文具的收据，请填出相应的金额。先笔算，再用计算器验算一下。

××市百货大楼销货凭证　　№ 0076843

组别　　　　2012 年 4 月 5 日

| 商品编码 | 品　名 | 数量 | 单位 | 单价/元 | 金　额/元 |
|---|---|---|---|---|---|
| ×××× | 圆珠笔 | 145 | 支 | 3 | |
| ×××× | 订书机 | 22 | 个 | 15 | |
| ×××× | 笔记本 | 290 | 本 | 2 | |
| 合计 | | | | | |

三联　交消费人　请妥善保存本联

不作报销凭证　　　　营业员：

4. 用计算器算出下面各题的积。

142857 × 1 = ________

142857 × 2 = ________

142857 × 3 = ________

142857 × 4 = ________

142857 × 5 = ________

142857 × 6 = ________

5.

497+498+499+500+501+502+503

得 3500。
怎么比我用计算器算得还快？

你知道小红是怎么算的吗？

6. 写出几个多位数，读一读。

7. 写出下面各数，再省略亿位后面的尾数，求出它们的近似数。

四亿九千九百七十万　　　二亿零八百七十六万

五十亿八千三百万　　　六百二十九亿四千万

8. 比较下面每组中两个数的大小。

26090800000 ○ 26900800000

7451030000 ○ 54284000000

9.

我用计算器算的，不会有错。
56+37=2072
两位数加两位数不可能是四位数。
和的个位应该是3。

下面结果是用计算器“算”出来的，估计一下，结果合理吗？分析一下错误原因。

356 + 175 = 181　　　179 − 86 = 265

38 × 45 = 1748　　　395 ÷ 5 = 390

# 整理和复习

在本单元，我们学习了哪些知识？

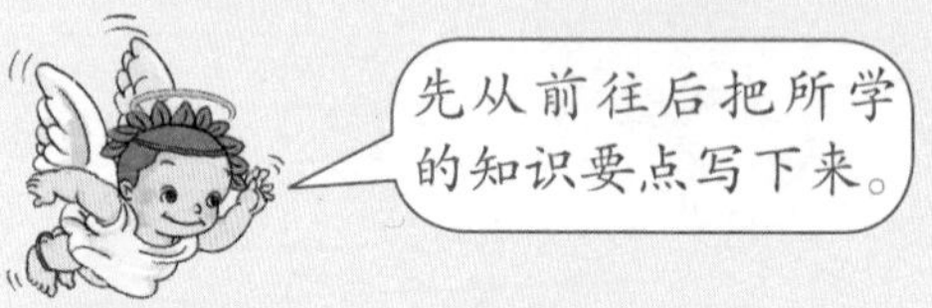
先从前往后把所学的知识要点写下来。

计数单位　数位
数位顺序表
读写数　比大小

你能把它们分类整理一下吗？

1. 填写下面的数位顺序表，并完成后面的问题。

| 数级 | …… | 亿　级 | | | | 万　级 | | | | 个　级 | | | |
|---|---|---|---|---|---|---|---|---|---|---|---|---|---|
| 数位 | …… | 位 | 位 | 位 | 位 | 位 | 位 | 位 | 位 | 位 | 位 | 位 | 位 |
| 计数单位 | …… | | | | | | | | | | | | |

（1）每级的数位、计数单位的组成有什么相同点？

（2）想一想，怎样能准确地读出一个多位数？再读出下面各数。

60308700000　　269008000

（3）想一想，怎样能准确地写出一个多位数，再写出下面各数。

二十五亿三千零九万

五百一十亿零二百零七万

分级读、写多位数有什么好处？

（4）为什么有时要把一个多位数改写成一个用“万”或“亿”作单位的数？你知道如何用“万”或“亿”作单位，写出一个数的近似数吗？

2. 想一想，怎样比较两个数的大小？再比较下面每组中的两个数的大小。

123150000 ◯ 90780000

7036400000 ◯ 7963000000

# 练 习 五

1. 填空。

（1）631020500 是（　）位数，它的最高位是（　　）位。
3 在（　　）位上，十万位上是（　　）。

（2）5 个千万、7 个十万和 8 个千是（　　　　）。

（3）38204000000 里有（　　）个亿和（　　）个万。

（4）930701000 = 900000000 + 30000000 +（　）+（　）

2. 写出下面各数，再省略万位或亿位后面的尾数，求出它们的近似数。

四百万五千九百 ________________

三亿八千四百零八万 ________________

一千零三亿三千九百万 ________________

3. 按规律填出下面右边算式的得数，并用计算器验算一下。

| | |
|---|---|
| 999 × 2 = 1998 | 999 × 6 = ________ |
| 999 × 3 = 2997 | 999 × 7 = ________ |
| 999 × 4 = 3996 | 999 × 8 = ________ |
| 999 × 5 = 4995 | 999 × 9 = ________ |

4. 两个同学一组，准备两套 0~9 的数字卡片。两人轮流摸卡片，每次摸一张，把摸到的数字写在自己选定的那组空格的某一格里。

5. 比较下面每组中两个数的大小。

260800 ○ 27 万　　500000000 ○ 5 亿

4000000 ○ 40 万　　297860000 ○ 3 亿

6. 在□里填上合适的数。

9□8765000≈9 亿　　3562100000<□103270000

69□000≈70 万　　2□00800000>2810800000

7. 先想想下面的题哪些用笔算合适，哪些用计算器合适，再计算。

222222222÷9= ________

999-899+900+333+222= ________

1+2+3+4+5+95+96+97+98+99= ________

27×24+321-165+456= ________

8. 用计算器计算每组前三题，再根据规律写出其他算式的得数。

9 × 9 = ________　　1 × 8 + 1 = ________

98 × 9 = ________　　12 × 8 + 2 = ________

987 × 9 = ________　　123 × 8 + 3 = ________

9876 × 9 = ________　　1234 × 8 + 4 = ________

98765 × 9 = ________　　12345 × 8 + 5 = ________

987654 × 9 = ________　　123456 × 8 + 6 = ________

本单元结束了，
你有什么收获？
成长小档案
千 百 十 一 千 百 十 一 千 百 十 个
亿级 万级 个级
我发现每级都有一、十、百、千。
先分级再读数的方法真好！
我知道了千万位后面不是万万位，是亿位。
不是万万
千亿 百亿 十亿 亿 千万 百万 十万 万 千 百 十 个
1 0345 0000

# 1亿有多大

你能想象1亿有多大吗？

小组成员：______

活动名称：______

活动步骤：______

结　　论：______

______

你们组选什么东西研究呢？
和其他小组交流一下你们的方案。

# 2 公顷和平方千米

**1**

测量土地的面积，可以用“公顷”作单位。
边长是100米的正方形面积是1公顷。

| 1公顷＝10000平方米 |
|---|

400米跑道围起来的部分的面积大约是1公顷。

## 做一做

在操场上量出边长是10米的正方形，看看它的面积有多大。

（　　）块这么大的正方形的面积是1公顷。

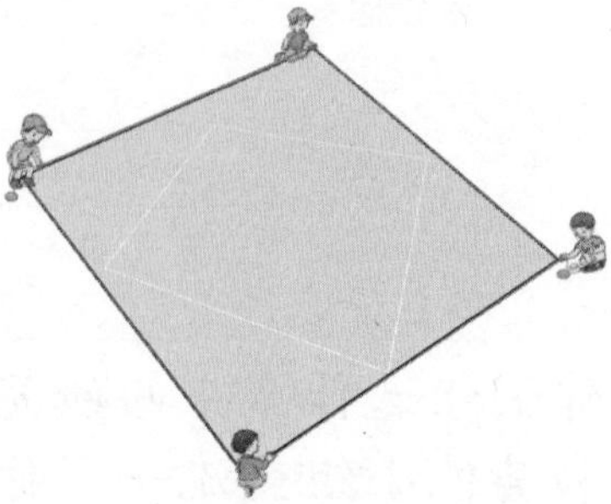

**2**

我国陆地领土面积约为960万平方千米。

计量比较大的土地面积，常用“平方千米”（$km^2$）作单位。

1平方千米有多大？

边长是1千米的正方形的面积是1平方千米。

1平方千米＝1000000平方米＝100公顷

1平方千米比2个天安门广场还要大一些。

### 做一做

“鸟巢”的占地面积约为20公顷，（　　）个“鸟巢”的占地面积约为1平方千米。

### ◎你知道吗？◎

早在两千多年前，我国劳动人民就会计算土地的面积。当时用亩作单位，一亩约等于667平方米。亩这个单位已经不是我国的法定计量单位了。

# 练 习 六

1. 量出学校操场的长和宽，计算出它的面积，看够不够 1 公顷。

2. 7 公顷 =（　　）平方米　　60000 平方米 =（　　）公顷

3. （1）北京的故宫占地面积是 72 公顷，合（　　）平方米。它是世界上最大的宫殿。

（2）北京颐和园的面积约 2900000 平方米，约合（　　）公顷。

4. 下面的游泳池长 50 米，宽 25 米。

（　　）个这样的游泳池
面积约 1 公顷。

5. 在（　）里填上适当的面积单位。

“水立方”占地面积约 6（　　）。

香港特别行政区的面积约 1100（　　）。

一个教室的面积约 63（　　）。

6. 5 平方千米 =（　　）公顷

12000000 平方米 =（　　）公顷 =（　　）平方千米

7. 如果 1 平方米能站 16 人，

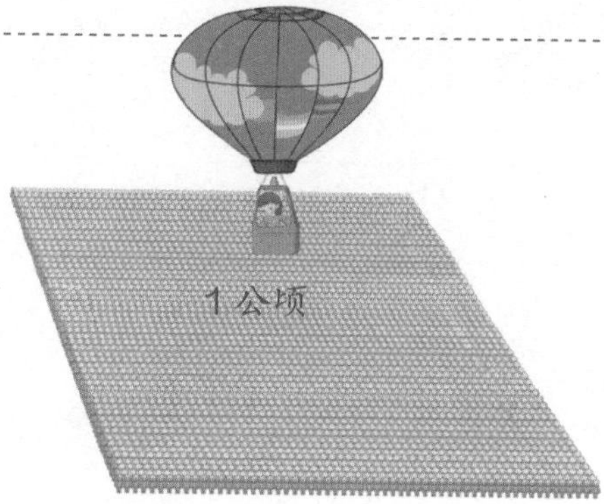


1 公顷大约能站多少人？

1 平方千米大约能站多少人？

8. 下面是我国面积最大的六个省、自治区（单位：平方千米）。

黑龙江：454800

内蒙古：1100000

青海：720000

四川：485000

西藏：1210000

新疆：1660000

你能按面积从小到大的顺序排列它们的名称吗？

9. 调查你所在的省（自治区、直辖市）的面积。

本单元结束了，你有什么收获？

成长小档案 ★★

1 平方千米真大呀！比 2 个天安门广场还大。
200 个 50 平方米的教室面积大约是 1 公顷。

# 3 角的度量

## 线段 直线 射线

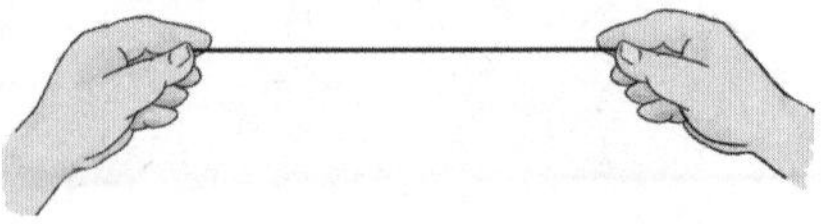

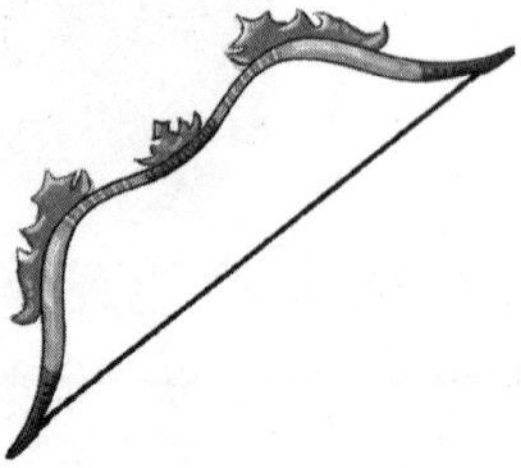

一根拉紧的线，绷紧的弦，都可以看作**线段**。线段有两个端点。

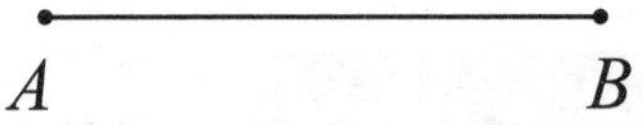


为了表述方便，可以用字母来表示线段，如线段 *AB*。

把线段向两端无限延伸，就得到一条**直线**。直线没有端点，是无限长的。

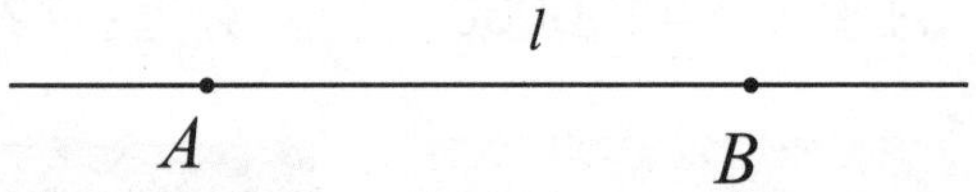


直线除了可以用“直线 *AB*”表示，还可以用小写字母表示，如直线 *l*。

把线段向一端无限延伸，就得到一条**射线**。射线只有一个端点。

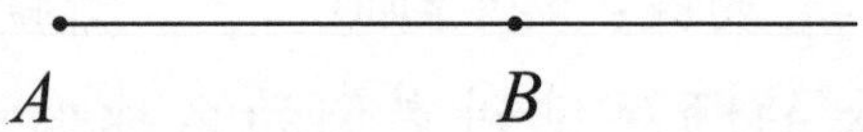


射线可以用端点和射线上的另一点来表示，如射线 *AB*。

手电筒或探照灯等射出来的光线，都可以看作射线。

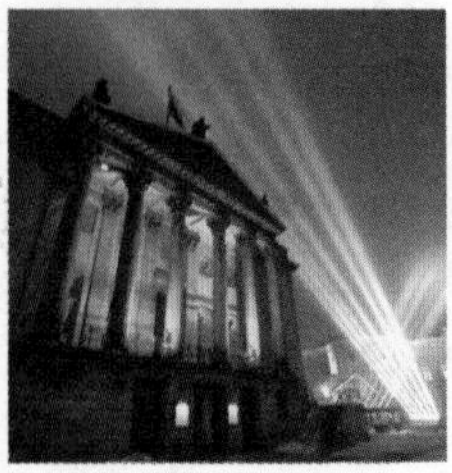

直线、射线与线段有什么区别？

## 做一做

下面的图形，哪些是直线？哪些是射线？哪些是线段？

## 角

我们认识过角，下面的图形都是角。

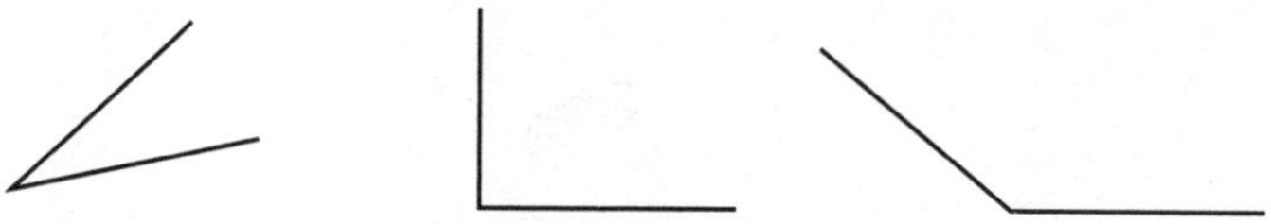

从一点引出两条射线所组成的图形叫做**角**。这个点叫做角的什么？这两条射线叫做角的什么？

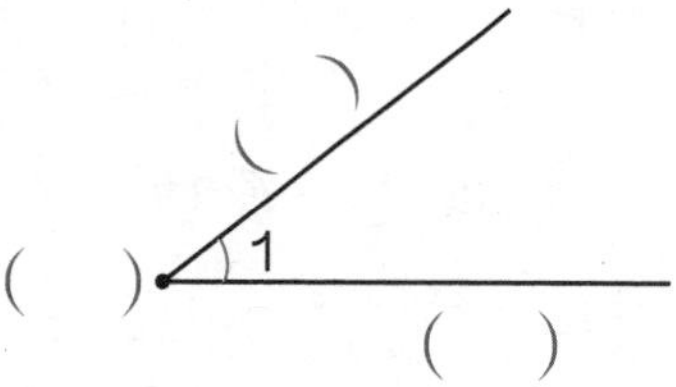


角通常用符号“∠”来表示，右上图的角可以记作“∠1”。

## 做一做

数一数，右图中各有几个角？

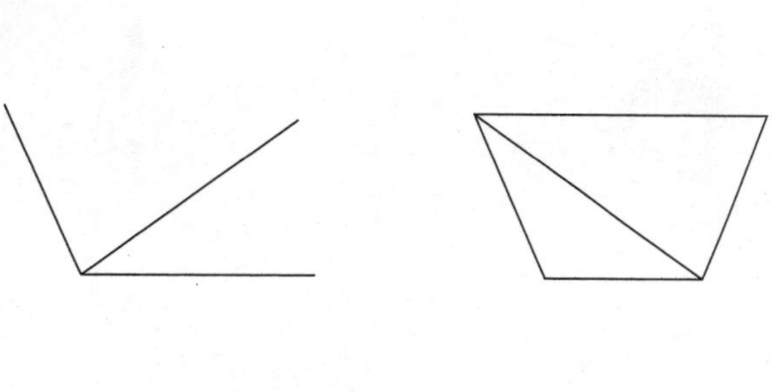

## 角的度量

下面两个角哪个大些？大多少？

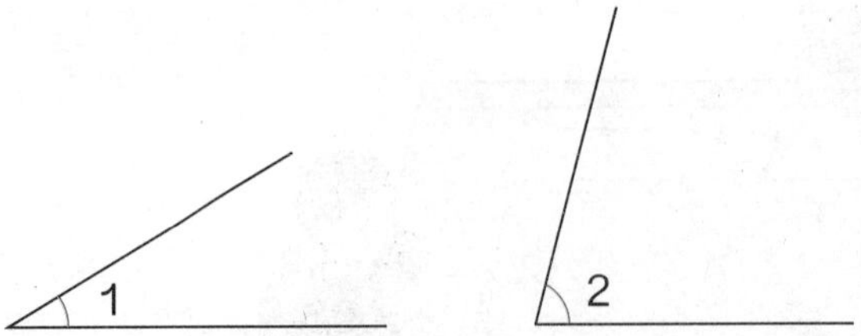


用三角尺上的角来量一量、比一比。

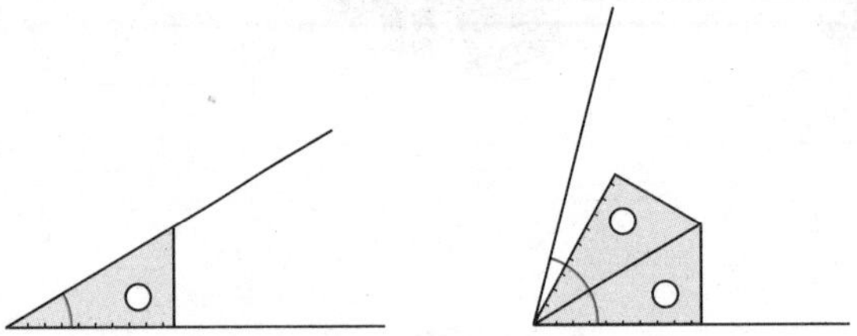

还是不能准确地知道∠2 比∠1 大多少。

要准确测量一个角的大小，应该用一个合适的角作单位来量。

人们将圆平均分成 360 份，将其中 1 份所对的角作为度量角的单位，它的大小就是 1 度，记作 1°。

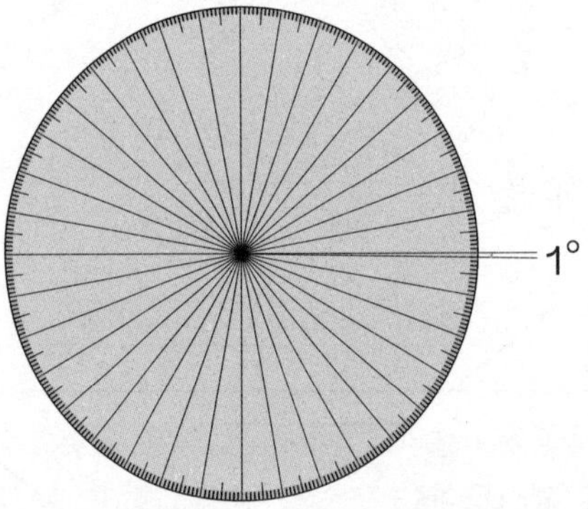

根据这一原理，人们制作了度量角的工具——量角器。

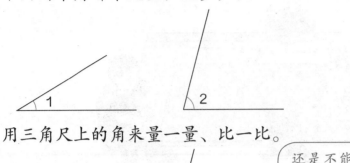

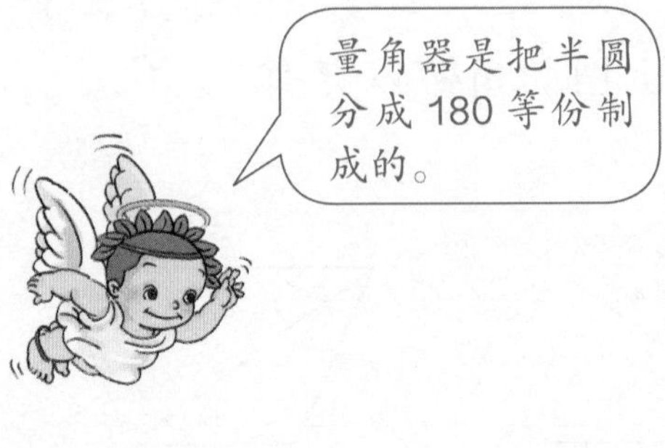

量角器是把半圆分成 180 等份制成的。

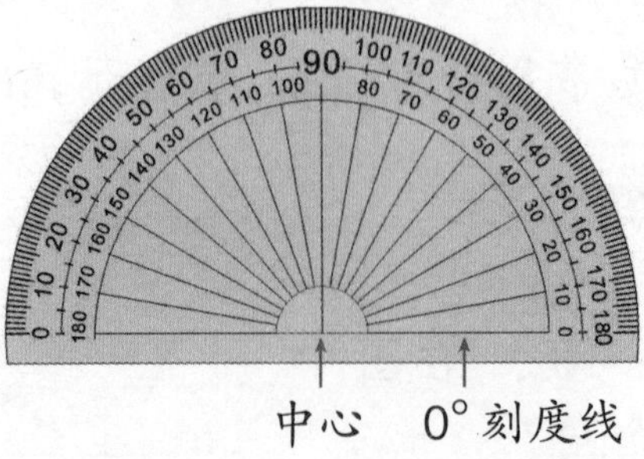

中心
0° 刻度线

**1** 怎样用量角器量出上页∠1的度数?

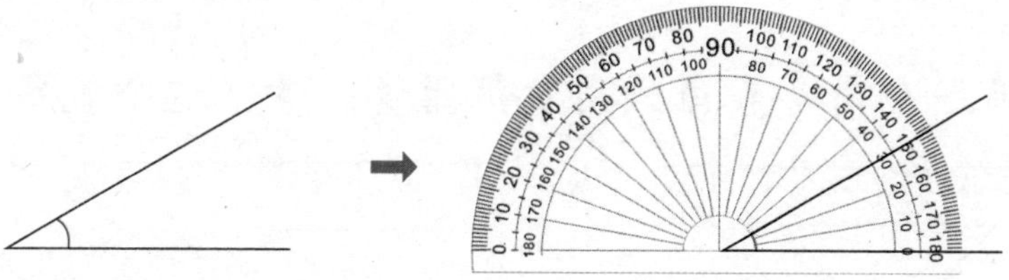

量角的步骤是:

1. 把量角器的中心与角的 ______ 重合,0°刻度线与角的一条边 ______。

2. 角的另一边所对的量角器上的刻度,就是这个角的 ______。

照样子量出上页∠2的度数。

## 做一做

1. 看量角器上的刻度,填出每个角的度数。

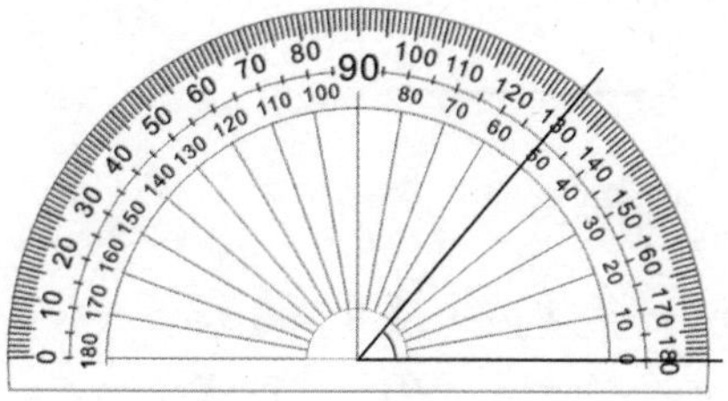

(　　)

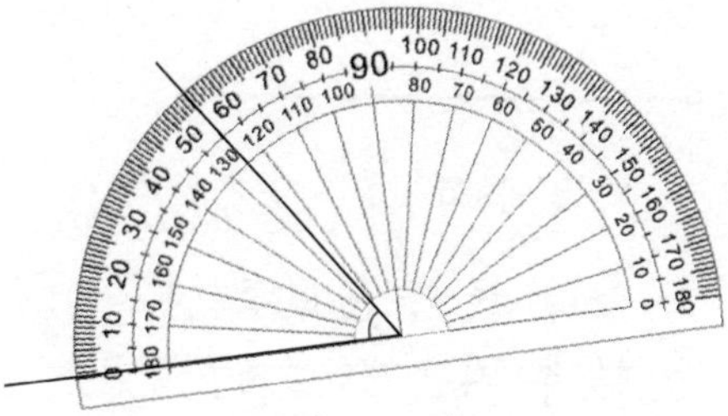

(　　)

2. 量出下面两个角的度数,并比较它们的大小。

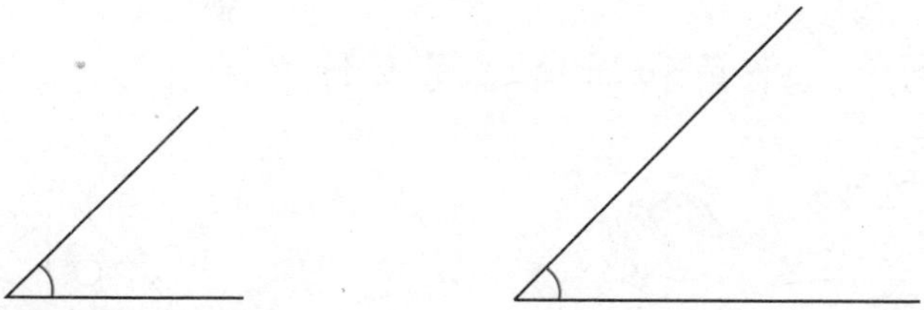

你发现了什么?

3. 量出下面各个角的度数。

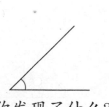

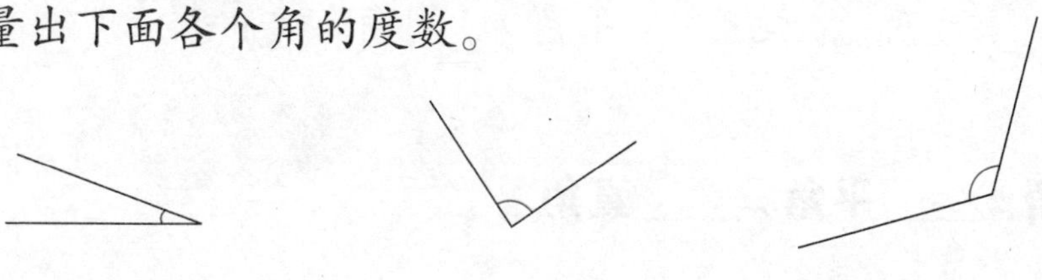

## 角的分类

三角尺上有一个角是直角，用量角器量一量，这个直角是多少度？

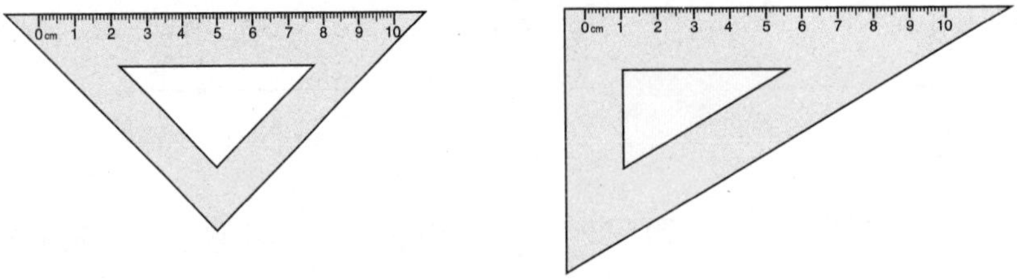

**1 直角 = 90°**

角可以看作由一条射线绕着它的端点，从一个位置旋转到另一个位置所成的图形。

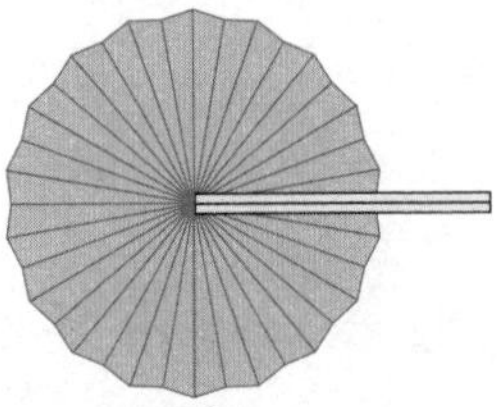

180°

平角

一条射线绕它的端点旋转半周，形成的角叫做**平角**。

**1 平角 =180°**

360°

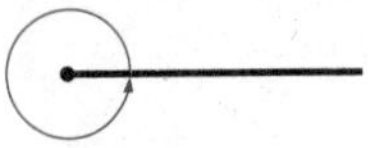

周角

一条射线绕它的端点旋转一周，形成的角叫做**周角**。

**1 周角 =360°**

**2** 锐角、直角、钝角、平角和周角之间有什么关系？

锐角◯直角◯钝角◯平角◯周角

**1 周角 =____ 平角 =____ 直角**

## 画角

**3** 画一个 60° 的角。

画角的步骤是：

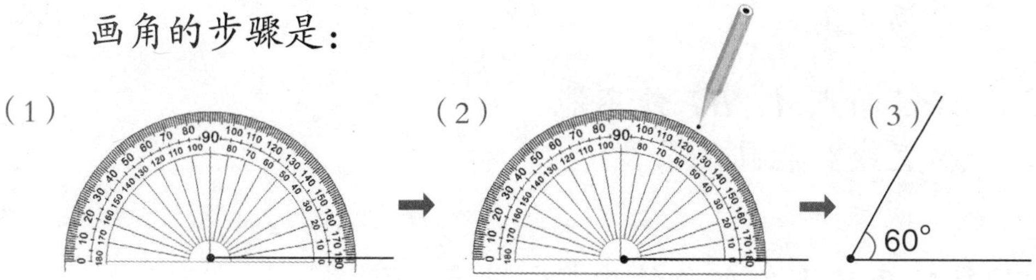


（1）画一条射线，使量角器的中心和射线的端点重合，0° 刻度线和射线重合。

（2）在量角器 60° 刻度线的地方点一个点。

（3）以画出的射线的端点为端点，通过刚画的点，再画一条射线。

## 做一做

1. 下面的角各是哪一种角？写出角的名称。

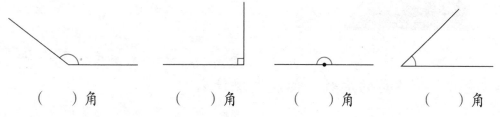

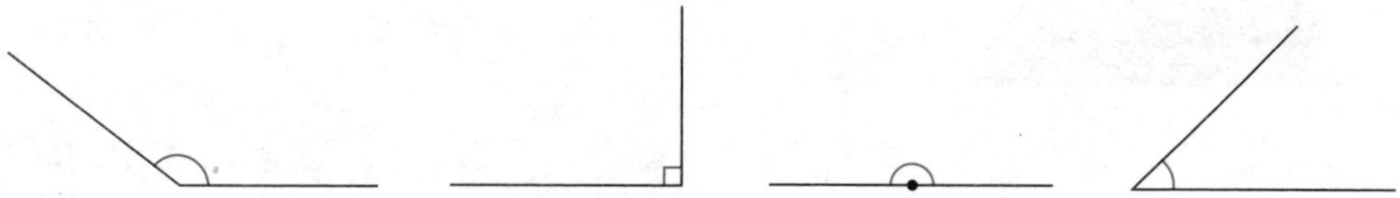

（　　）角　　（　　）角　　（　　）角　　（　　）角

2. （1）分别画出 75°、105° 的角。



（2）画出下面的角。

20°　　30°　　75°　　85°　　90°　　120°　　135°

# 练习七

1. （1）过一点$O$，能画直线吗？能画几条？

（2）经过两点$A$、$B$，能不能画直线？能画几条？

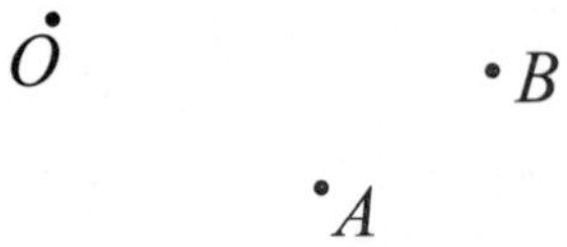


2. 先估计三角尺上各个角的度数，再量一量。

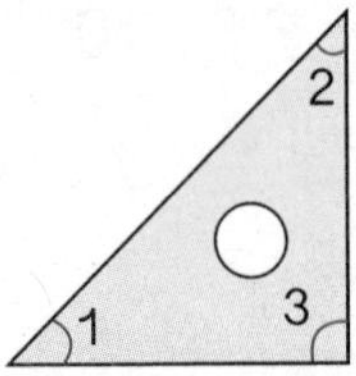


∠1= ____

∠2= ____

∠3= ____

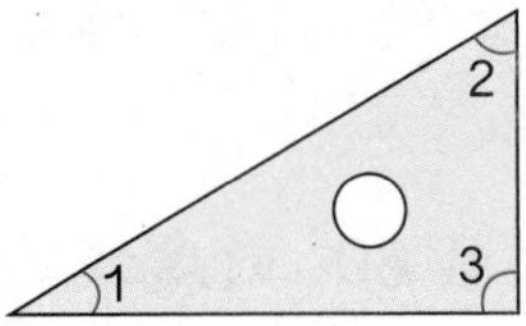


∠1= ____

∠2= ____

∠3= ____

3. 量一量下面的角各是多少度。

∠1= ____

∠2= ____

∠3= ____

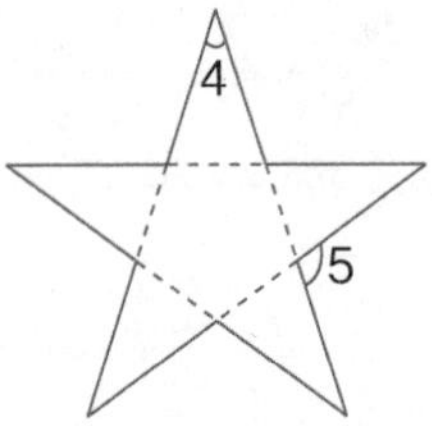


∠4= ____

∠5= ____

4. 量出下面各角的度数。你能发现什么？

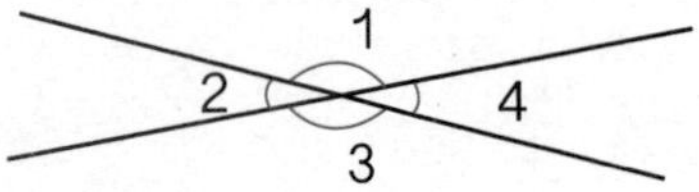


∠1= ____　　∠3= ____

∠2= ____　　∠4= ____

5. 画出与∠1、∠2 同样大的角。

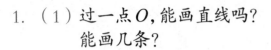

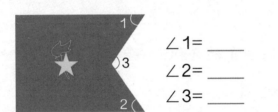

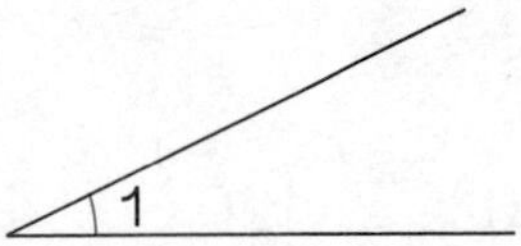


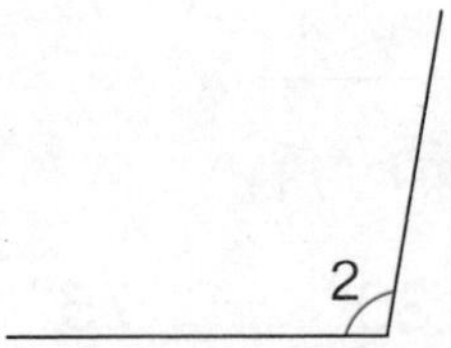

6. 你能用三角尺画出下面的角吗？

15°　　150°　　165°　　75°

7. 看图填一填。

（1）已知∠1=70°，那么∠2=____。

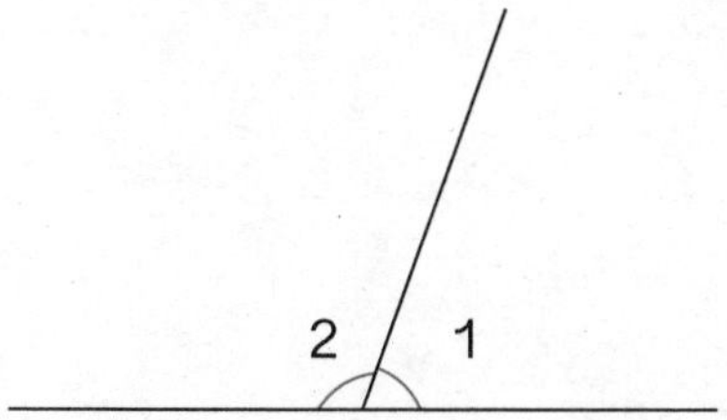


（2）已知∠1=40°，那么∠2=____，∠3=____，∠4=____。

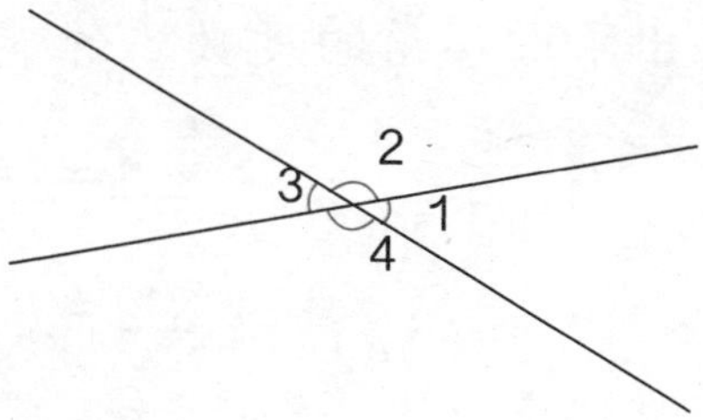


8. 按要求画，再回答问题。

（1）画出直线 *AC*。

（2）画出射线 *CB*。

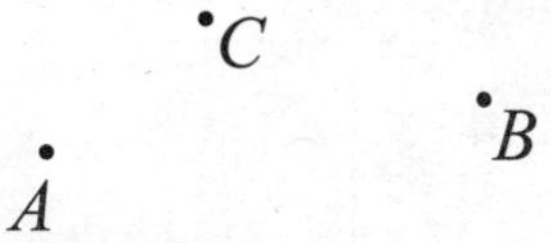


画好的图形中有几个角？是什么角？

9. 下面的说法对吗？对的在（　）里画“√”。

（1）直线是无限长的。（　）

（2）小于、等于 90° 的角叫锐角。（　）

（3）将圆平均分成 360 份，人们把其中 1 份所对的角作为角的单位。（　）

10. 先估计，再量出图中各角的度数。

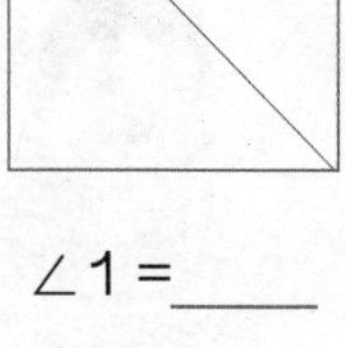


∠1 =____

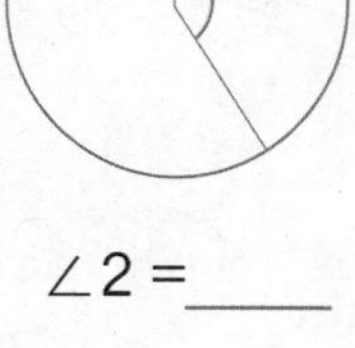


∠2 =____

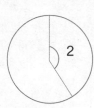

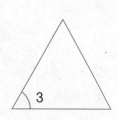

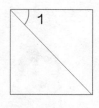

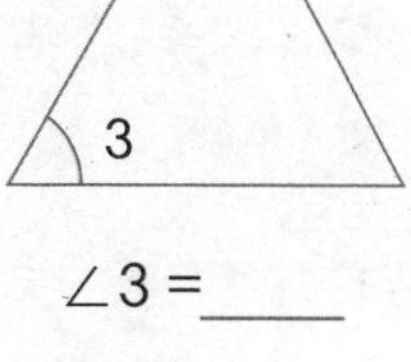


∠3 =____

11. （1）你能用一张长方形纸折出下面度数的角吗?

$90°$　　　　$45°$　　　　$135°$

（2）将一张圆形纸对折三次后展开，可以得到哪些度数的角?

12. 选择合适的方法画出下面的角，并说说它们分别是哪一种角。

$10°$　$45°$　$60°$　$90°$　$105°$　$120°$　$180°$

13. 量出下面各角的度数。你能发现什么?

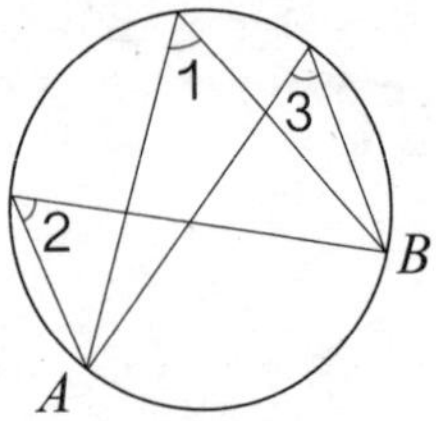


∠1=_____

∠2=_____

∠3=_____

14.* 你能想办法知道右面两个角的度数吗?

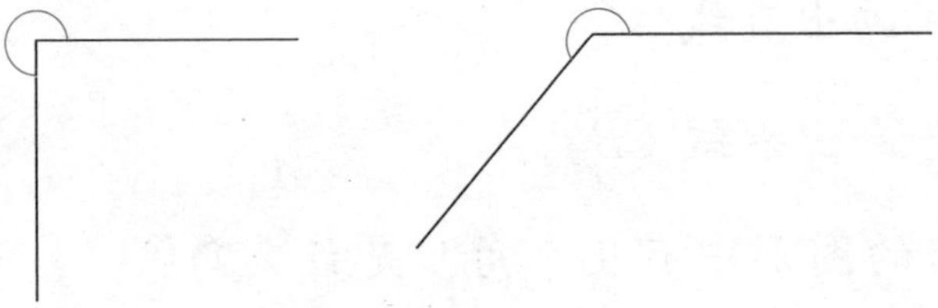

15.* 右面两个图中的∠1与∠2是不是相等？说明理由。

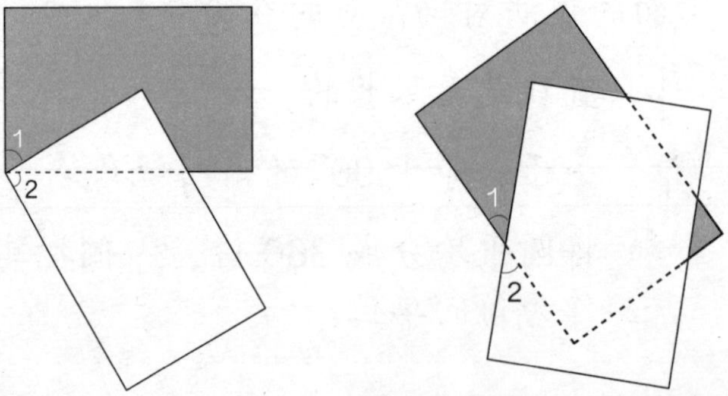


本单元结束了，你有什么收获?

成长小档案

★★★

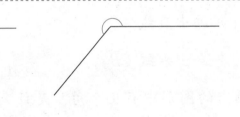

周角和平角很特别，平角的两条边在一条直线上。
角也有度量单位。
平角
周角

# 4 三位数乘两位数

**1** 李叔叔从某城市乘火车去北京用了 12 小时，火车每小时行 145 千米。该城市到北京有多少千米？

145 × 12 = ________

$$\begin{array}{r} 145 \\ \times\ \ 12 \\ \hline 290 \\ \hline \end{array}$$

第二部分积该怎样写？

用笔算比较准确，得……

笔算对了吗？用计算器验算一下。

## 做一做

$$\begin{array}{r} 134 \\ \times\ \ 12 \\ \hline \end{array} \qquad \begin{array}{r} 176 \\ \times\ \ 47 \\ \hline \end{array} \qquad \begin{array}{r} 425 \\ \times\ \ 36 \\ \hline \end{array} \qquad \begin{array}{r} 237 \\ \times\ \ 82 \\ \hline \end{array}$$

$$\begin{array}{r} 322 \\ \times\ \ 24 \\ \hline \end{array} \qquad \begin{array}{r} 145 \\ \times\ \ 27 \\ \hline \end{array} \qquad \begin{array}{r} 679 \\ \times\ \ 13 \\ \hline \end{array} \qquad \begin{array}{r} 286 \\ \times\ \ 35 \\ \hline \end{array}$$

**2** （1）160 × 30 = ________

```
   16|0
×   3|0
-------
   48|00
```

（2）106 × 30 = ________

## 做一做

1.

```
  220        160        360        580
×  40      ×  60      × 25       × 12
-----      -----      -----      -----
```

2.

### ◎ 你知道吗？◎

15 世纪意大利的一本算术书中介绍了一种“格子乘法”。你能仿照下面的例子算出“357×46”的积吗？

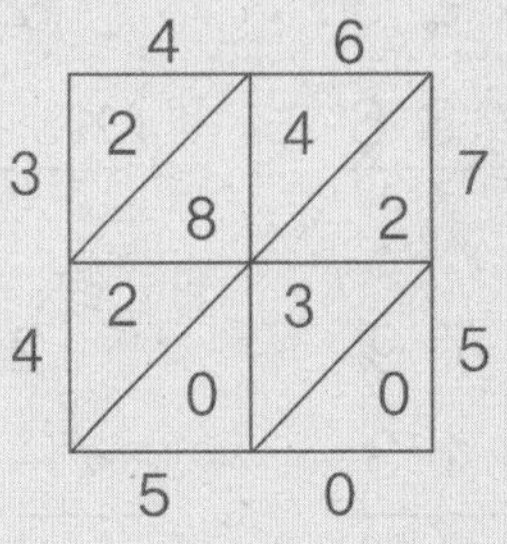


46 × 75 = 3450

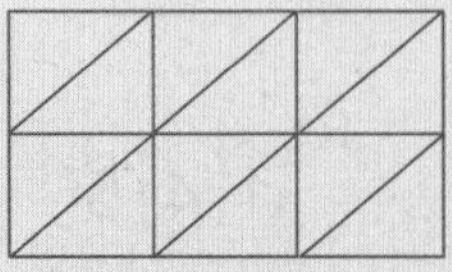

357 × 46 =

# 练 习 八

1. 先笔算，再用计算器验算。

164×32　　254×36　　54×145　　537×45

217×83　　328×25　　43×139　　87×165

2. 某市郊外的森林公园有 124 公顷森林。1 公顷森林一年可滞尘 32 吨，一天可从地下吸出 85 吨水。

(1) 这个公园的森林一年可滞尘多少吨？

(2) 这个公园的森林一天可从地下吸出多少吨水？

3. 口算。

50×90　　40×80　　32×30　　190×5

70×140　　300×30　　21×40　　25×30

4.

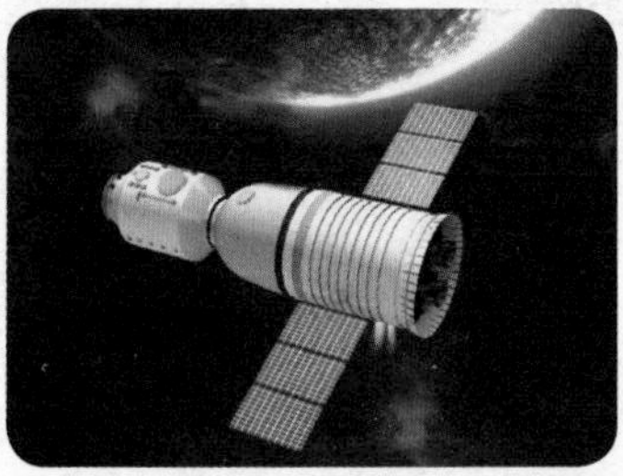

我国发射的“神舟九号”飞船绕地球一周约用90分钟。
一共绕地球201圈，用了多少时间？

5. 公园的一头大象一天要吃 350 千克食物，饲养员准备了 5 吨食物，够这头大象吃 20 天吗？

6. 在○中填上“>”“<”或“=”。

120×20 ○ 12×200　　500×10 ○ 10×550

16×400 ○ 210×4　　19×300 ○ 30×180

7. 120×73　　46×205　　182×47　　250×60

28×103　　27×142　　224×30　　304×15

8.

```
   134        342        504
×   16     ×   32     ×   26
------     ------     ------
   804        684       3024
   134      926        108
------     ------     ------
   938       9944       4104
```

9. 学校要为图书馆增添两种新书，每种买3套。一共要花多少钱？

每套125元

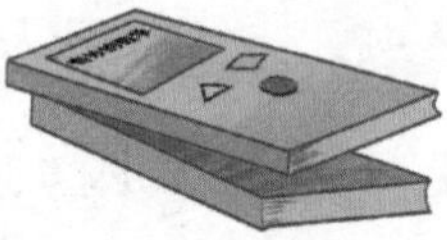

每套18元

10. 张叔叔种植了品种繁多的观赏蔬菜。其中一部分蔬菜的价格和卖出的盆数如下表。

| 品　种 |  辣椒 |  西红柿 |  袖珍南瓜 |
|---|---|---|---|
| 每盆价格 | 12 | 14 | 15 |
| 卖出的盆数 | 302 | 135 | 140 |

（1）每种蔬菜卖了多少元？

（2）一共收入多少元？

11.

128元

108元

198元

210元

李老师带了3000元钱，要为学校选购15台同样的电话机，有多少种购买方案？分别还剩多少钱？

12.* 用0，2，3，4，5组成三位数乘两位数的乘法算式，你能写出几个？你能写出乘积最大的算式吗？

**3** 观察下面两组题，说一说你发现了什么？

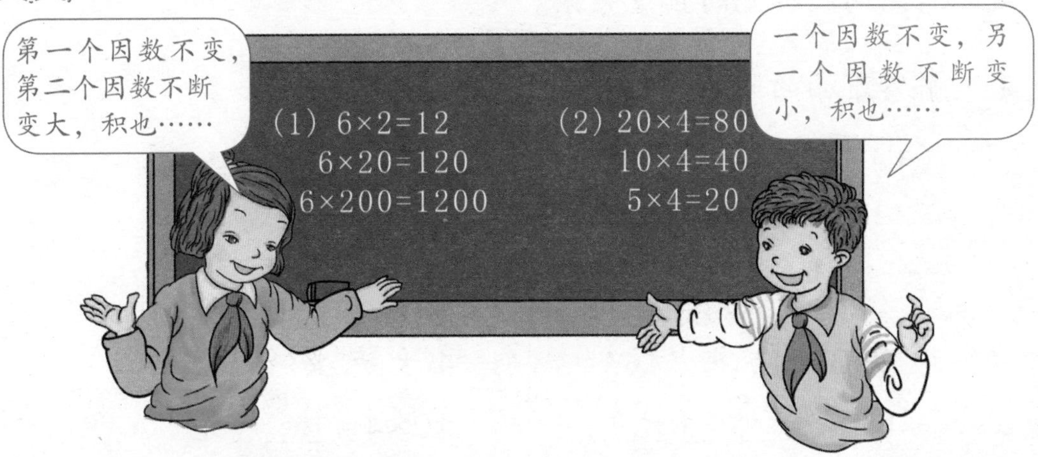


第（1）组题中，第 2、3 题同第 1 题比，第二个因数分别乘了 10、（　），积各有什么变化？

第（2）组题中，第 2、3 题同第 1 题比，第一个因数分别除以了 2、（　），积各有什么变化？

> 一个因数不变，另一个因数乘几或除以几（0 除外），积也乘（或除以）________。

举例说明你发现的规律。

## 做一做

1. 先算出每组题中第 1 题的积，再写出下面两题的得数。

| | | |
|---|---|---|
| 12×3= | 48×5= | 8×50= |
| 120×3= | 48×50= | 8×25= |
| 120×30= | 48×500= | 4×50= |

2. 扩大后的绿地面积是多少？

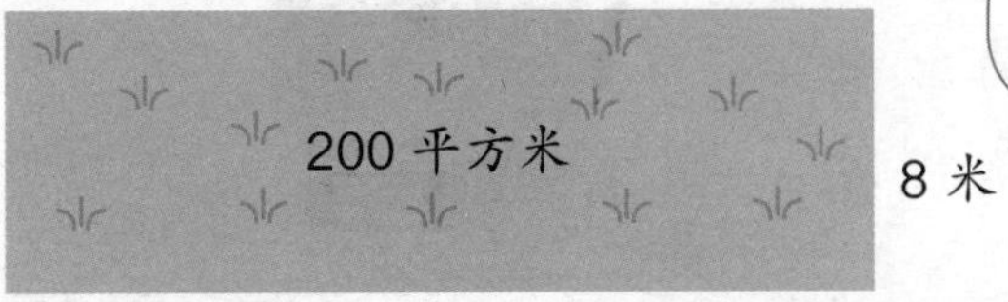

在前面的学习中，我们经常会见到一些数量关系，下面我们就来总结两种常见的数量关系。

**4** 解答下面的问题。

（1）

篮球每个 80 元，买 3 个要多少钱？

80×3=____（元）

（2）

鱼每千克 10 元，买 4 千克要多少钱？

10×4=____（元）

这两个问题有什么共同点？

都是已知每件商品的价钱。

还知道买了多少件商品，最后算……

每件商品的价钱，叫做**单价**；买了多少，叫做**数量**；一共用的钱数，叫做**总价**。

你知道单价、数量与总价之间的关系吗？

单价 × 数量 = 总价

## 做一做

1. 举例说明什么是单价、数量和总价。

2. 不解答，只说出下面各题已知的是什么，要求的是什么。

（1）每套校服 120 元，买 5 套要用多少钱？

（2）学校买了 3 台同样的复读机，花了 420 元，每台复读机多少元？

复读机

5 解答下面的问题。

（1）一辆汽车每小时行 70 千米，4 小时行多少千米？

______________________

（2）一人骑自行车每分钟行 225 米，10 分钟行多少米？

______________________

这两个问题有什么共同点？

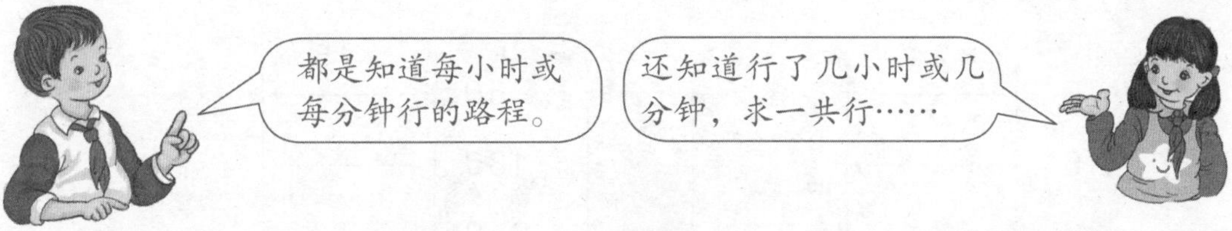


一共行了多长的路，叫做**路程**；每小时（或每分钟等）行的路程，叫做**速度**；行了几小时（或几分钟等），叫做**时间**。

上面汽车每小时行的路程叫做速度，可以写成 70 千米/时，读作 70 千米每时。

你知道速度、时间与路程之间的关系吗？

速度 × 时间 = 路程

做一做

1. 你还知道其他交通工具的速度吗？按照汽车速度的形式写一写。

2. 不解答，只说出下面各题已知的是什么，要求的是什么。

（1）小林每分钟走 60 米，他 15 分钟走多少米？

（2）声音每秒传播 340 米，声音传播 1700 米要用多长时间？

# 练 习 九

1. 根据每组题中第 1 题的积，写出下面两题的得数。

| | | |
|---|---|---|
| 79×2= | 240×3= | 180×5= |
| 79×20= | 24×3= | 180×15= |
| 79×200= | 240×30= | 360×15= |

2.

| | | |
|---|---|---|
| 89×78 | 548×15 | 506×24 |
| 64×65 | 403×21 | 47×15 |
| 69×98 | 20×326 | 240×37 |

3. 提出一个已知单价和数量，求总价的问题。

4. 仔细观察因数的关系，再计算。

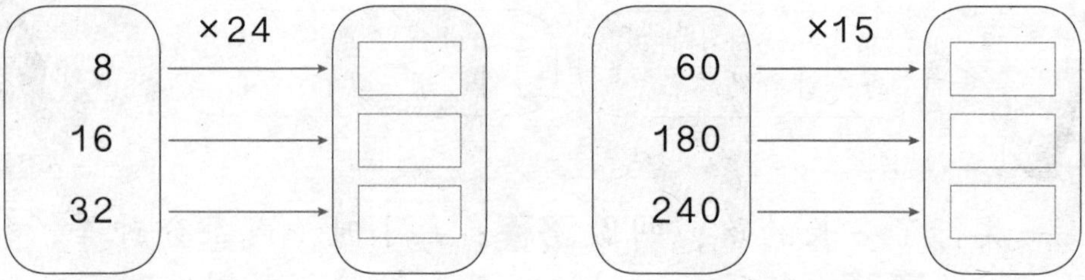


5. 提出一个已知速度和时间，求路程的问题。

6.

| | | | | |
|---|---|---|---|---|
| 因　数 | 20 | | 40 | 200 |
| 因　数 | 5 | 5 | 10 | |
| 积 | | 200 | | 2000 |

7. 下面的说法对吗？对的在（　）里画“✓”。

（1）已知每个笔袋的价钱和买的个数，求总价，要用笔袋的单价乘个数。（　　）

（2）“小明家和学校相距 700 米，他从家到学校走了 10 分钟，他每分钟走多少米？”这道题是求路程。（　　）

（3）已知 3 小时走的路程，可以求速度。（　　）

8.

9. 王叔叔从县城出发去王庄乡送化肥。去的时候用了 3 小时，返回时用了 2 小时。从县城到王庄乡有多远？

去的速度是 40 千米 / 时。
返回时快多了。

原路返回时平均每小时行多少千米？

10. 15×14=210

15×28=____

15×42=____

15×56=____

15×70=____

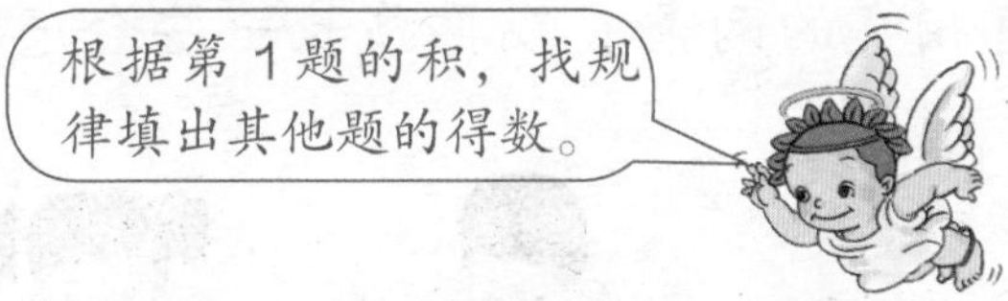

根据第 1 题的积，找规律填出其他题的得数。

本单元结束了，你有什么收获？

计算它的方法和两位数乘两位数相同。

$$\begin{array}{r} 324 \\ \times\ \ 24 \\ \hline \end{array}$$

**成长小档案**

★★★★

6×2=12 (↓×10 ↓×10) 6×20=120 (↓×10 ↓×10) 6×200=1200

16÷4=？

160÷4=？

320÷4=？

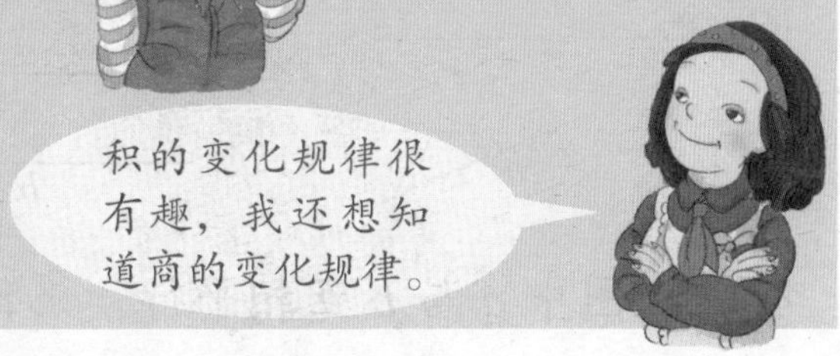

积的变化规律很有趣，我还想知道商的变化规律。

# 5 平行四边形和梯形

## 平行与垂直

**1** 在纸上任意画两条直线，会有哪几种情况？

把没有相交的两条直线再画长一些会怎样？

在同一个平面内不相交的两条直线叫做**平行线**，也可以说这两条直线**互相平行**。

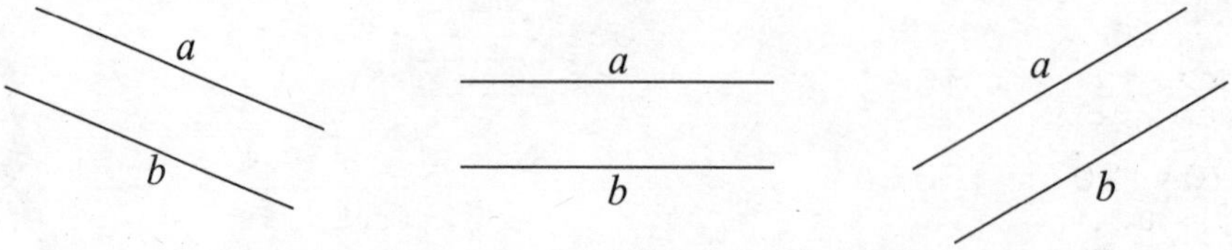


上图中 $a$ 与 $b$ 互相平行，记作 $a /\!/ b$，读作 $a$ 平行于 $b$。

你能举出生活中一些有关平行的例子吗？

量一量，所画的两条相交直线组成的角分别是多少度。

每个角都是90°。

两条直线相交成直角，就说这两条直线**互相垂直**，其中一条直线叫做另一条直线的**垂线**，这两条直线的交点叫做**垂足**。

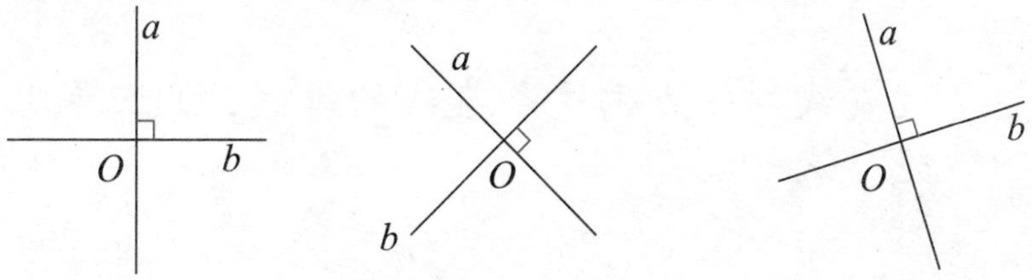


上图中直线 $a$ 与 $b$ 互相垂直，记作 $a \perp b$，读作 $a$ 垂直于 $b$。

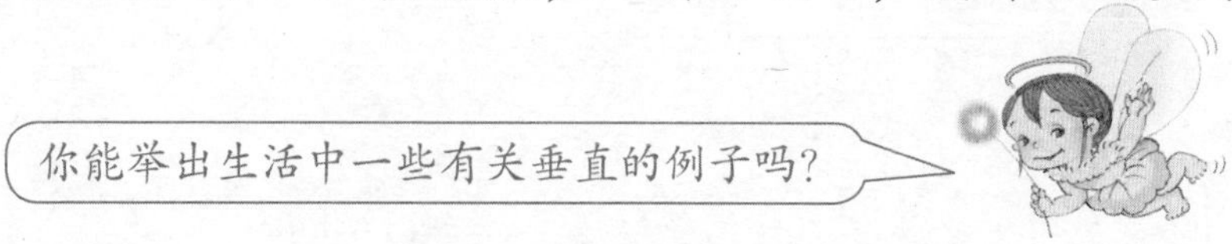

你能举出生活中一些有关垂直的例子吗？

## 做一做

下面各组直线，哪一组互相平行？哪一组互相垂直？

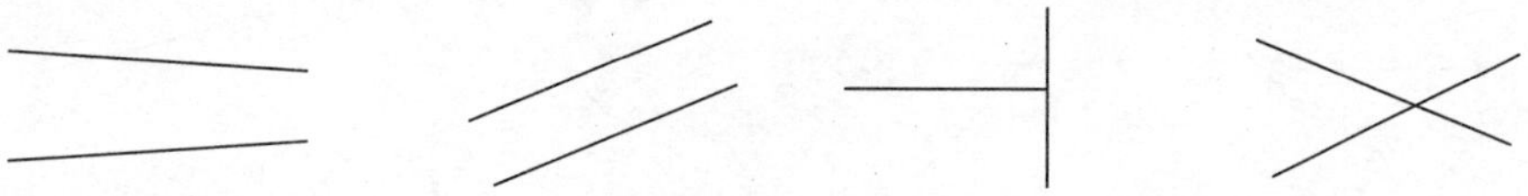

**2** 你能画出互相垂直的两条直线吗？

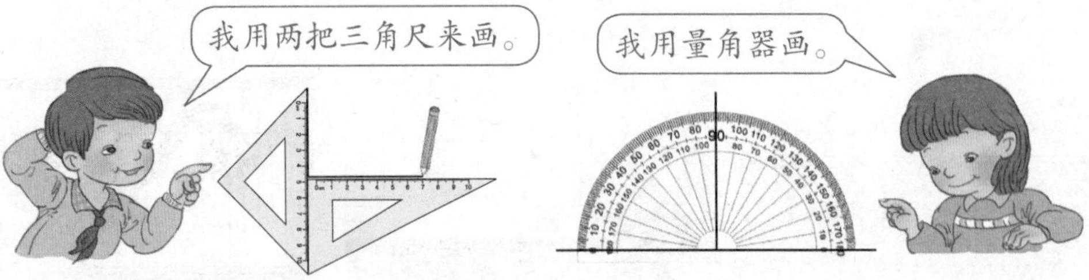
我用两把三角尺来画。
我用量角器画。

也可以用一把三角尺来画。

1. 过直线上一点画垂线。

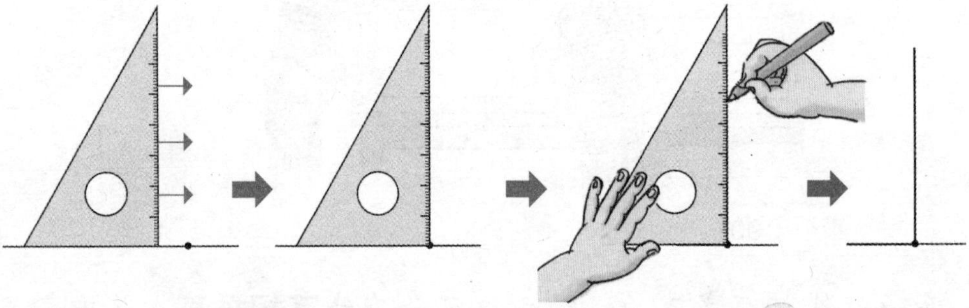

你能说出过直线上一点，用三角尺画垂线的步骤吗？

2. 过直线外一点画这条直线的垂线，用三角尺应该怎样画呢？试一试。

## 做一做

你能分别过下面的点，画出相应直线的垂线吗？

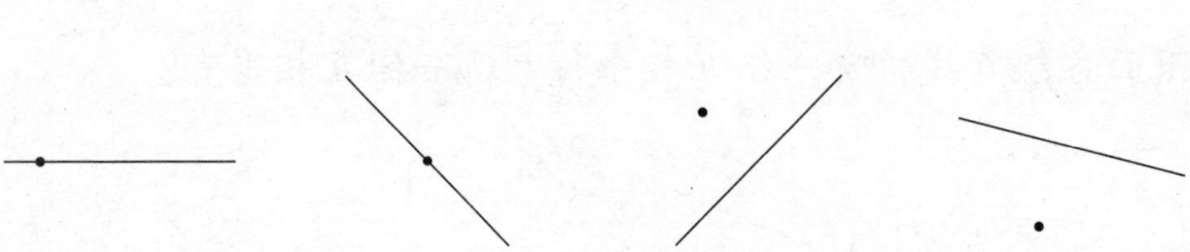

**3** （1）从直线外一点 $A$，到这条直线画几条线段。量一量所画线段的长度，哪一条最短？

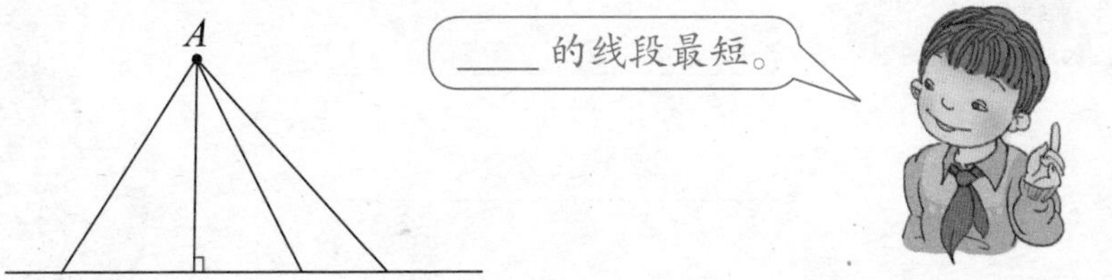


从直线外一点到这条直线所画的垂直线段最短，它的长度叫做这点到直线的**距离**。

（2）下图中，$a // b$。在 $a$ 上任选几个点，分别向 $b$ 画垂直的线段。量一量这些线段的长度，你发现了什么？

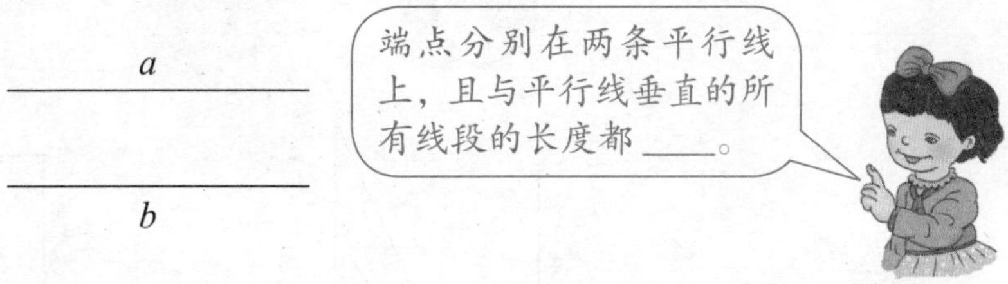

a
b
端点分别在两条平行线上，且与平行线垂直的所有线段的长度都____。

做一做

1. 右图中，小明如果从 $A$ 点过马路，怎样走路线最短？为什么？把最短的路线画出来。

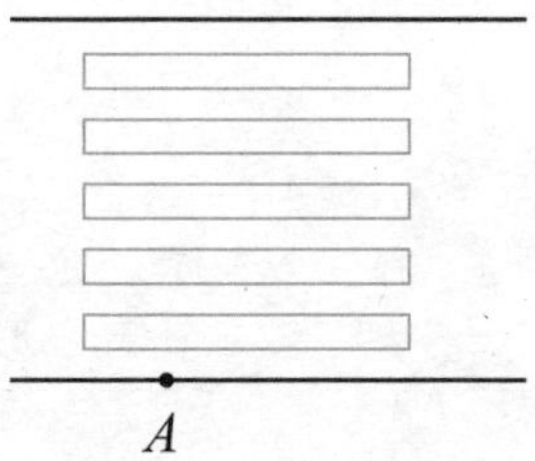


2. 请用在例 3 中发现的规律，检验下面各组直线 $a$、$b$ 是否互相平行。

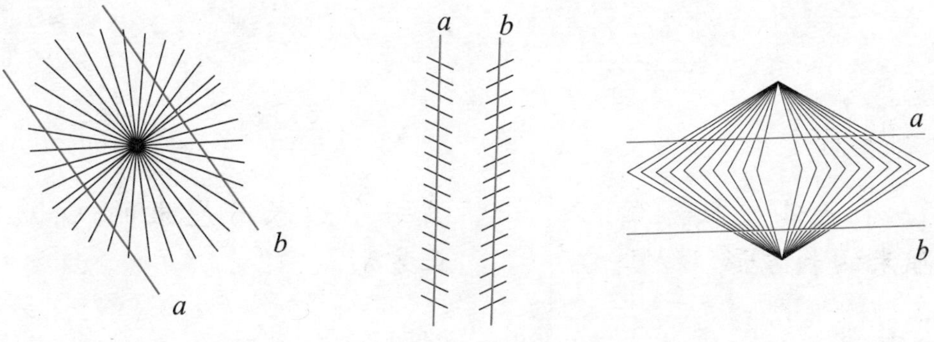

## 4 画一个长 10 厘米、宽 8 厘米的长方形。

**阅读与理解**

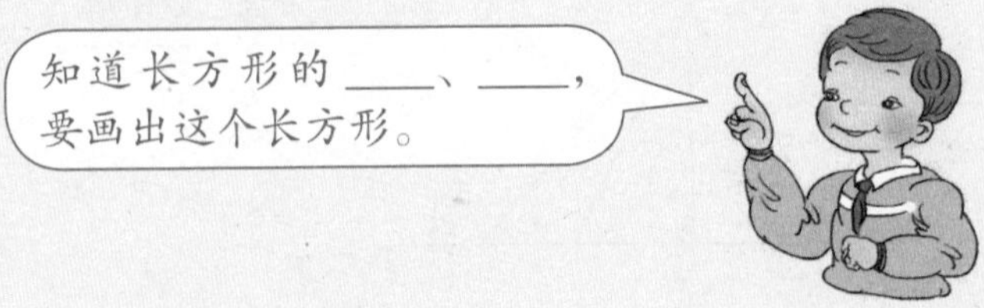
知道长方形的____、____，
要画出这个长方形。

**分析与画图**

长方形相邻的两
条边互相垂直。
可以用画垂线的
方法来画。

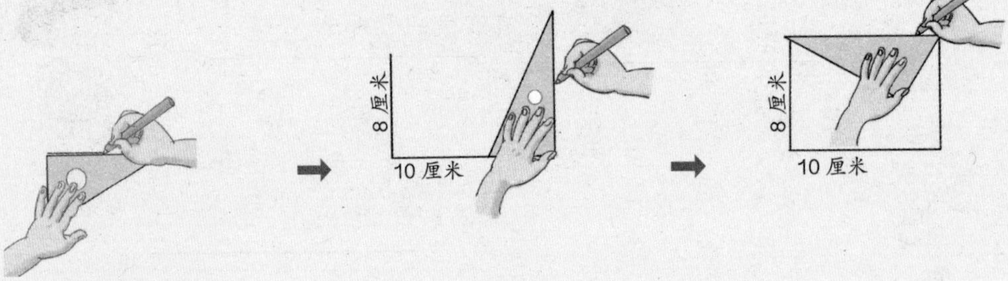
8 厘米
10 厘米
8 厘米
10 厘米

**回顾与反思**

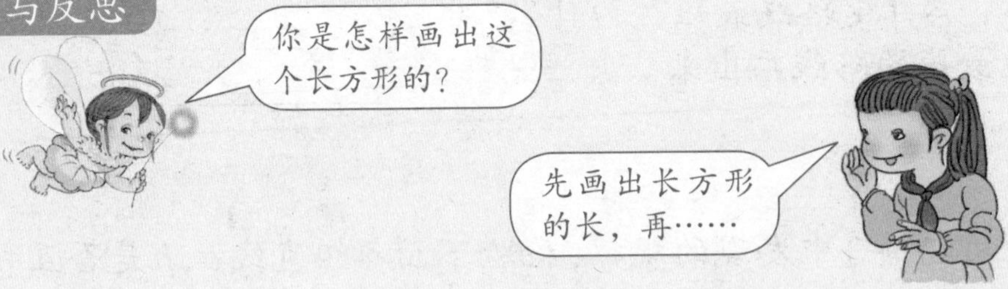
你是怎样画出这
个长方形的？
先画出长方形
的长，再……

### 做一做

1. 画一个长 4 厘米，宽 3 厘米的长方形。

2. 画一个边长 5 厘米的正方形。

# 练　习　十

1. 下面每个图形中哪两条线段互相平行？哪两条线段互相垂直？

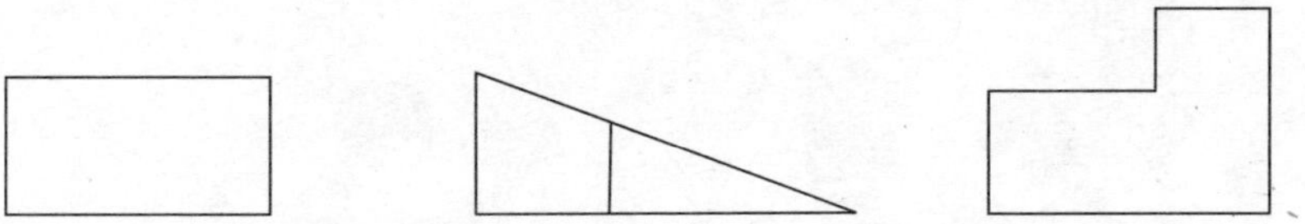

2. 摆一摆。

（1）把两根小棒都摆成和第三根小棒互相平行。看一看，这两根小棒互相平行吗？

（2）把两根小棒都摆成和第三根小棒互相垂直。看一看，这两根小棒有什么关系？

3. 折一折。

（1）把一张长方形的纸折两次，使三条折痕互相平行。

（2）把一张正方形的纸折两次，使两条折痕互相垂直。

4. （1）画三条互相平行的直线。

（2）画两条互相垂直的直线。

5. 下面两个小朋友画出的是平行线吗？

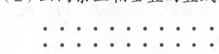

6. 测定跳远成绩时，应该怎样测量？

7. 怎样挂画又正又快？

8. 你能在长方体和正方体的各个面上找到互相垂直的线段吗？

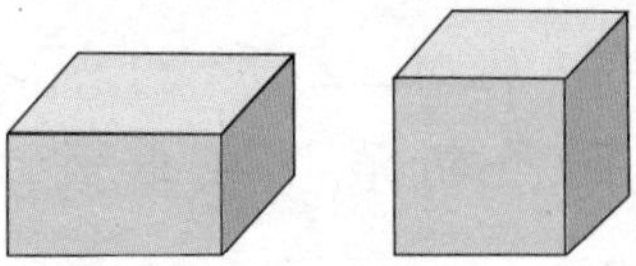

9. 分别过点 $A$ 画 $BC$ 的垂线。

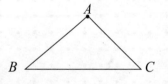

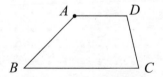

10. 下面各图中，哪些线段互相平行？把各组平行线段涂上相同的颜色。

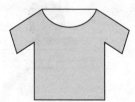

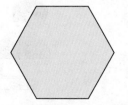

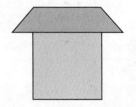

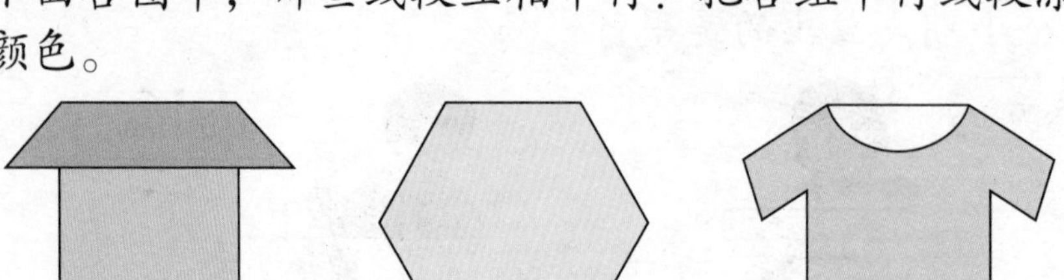

11. 要从幸福镇修一条通往公路的水泥路。

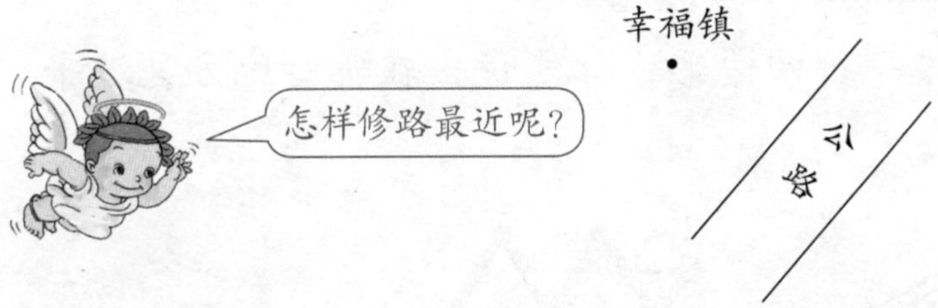
怎样修路最近呢?
幸福镇
公路

12. (1) 下图是一个长方形的两条边。请把这个长方形画完整。

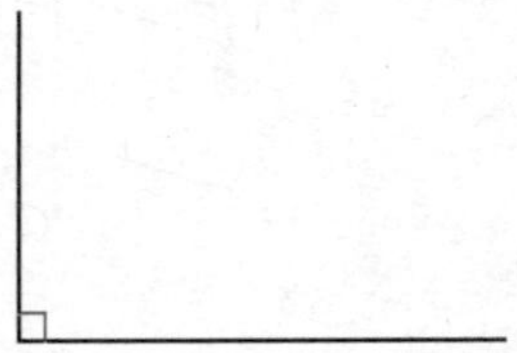

(2) 以下面这条线段为左侧的边，画一个正方形。

13. 下图中，$a \parallel b$，量一量∠1、∠2 的度数，你能发现什么?

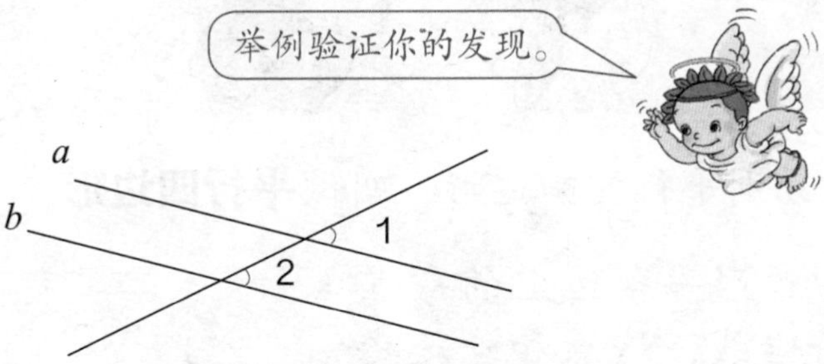
举例验证你的发现。
a
b
1
2

14. 观察右图，指出正方形中哪两条线段互相垂直。

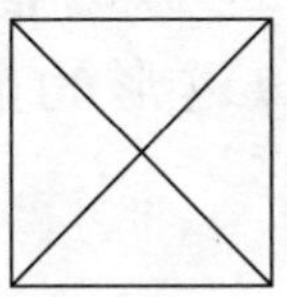

15.* 下图中，哪些线段互相平行? 哪些互相垂直?

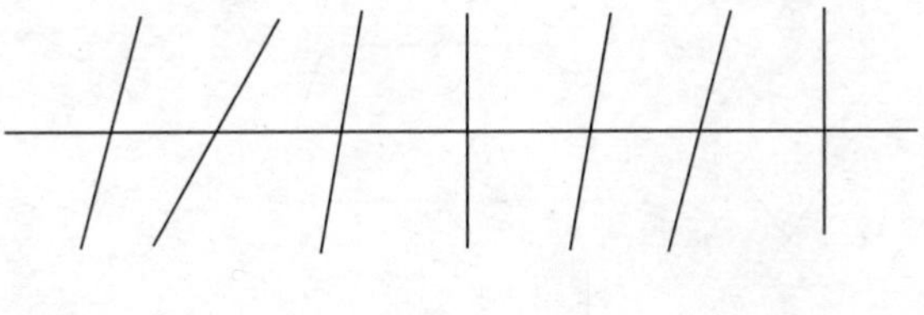

## 平行四边形和梯形

**1** 我们认识过平行四边形，你能说出在哪些地方见过平行四边形吗？

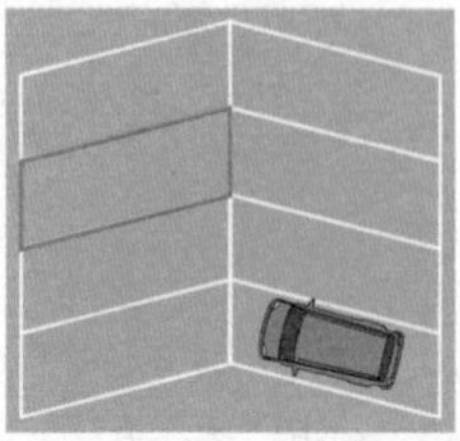

上面各图中都有平行四边形。

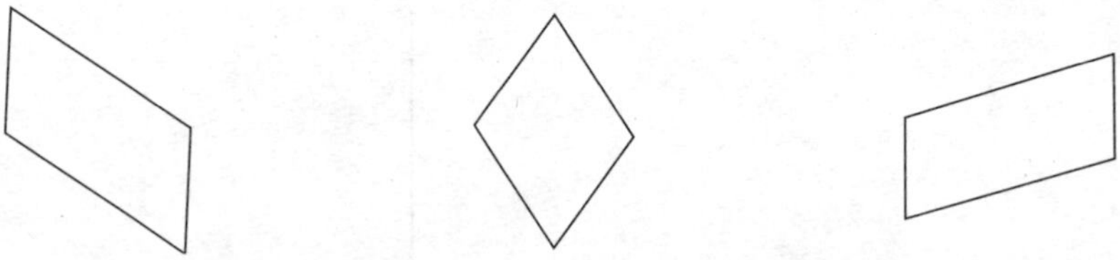

研究一下，平行四边形的边有什么特点。

平行四边形的对边互相平行。
对边也相等。

两组对边分别平行的四边形，叫做**平行四边形**。

从平行四边形一条边上的一点向对边引一条垂线，这点和垂足之间的线段叫做平行四边形的**高**，垂足所在的边叫做平行四边形的**底**。

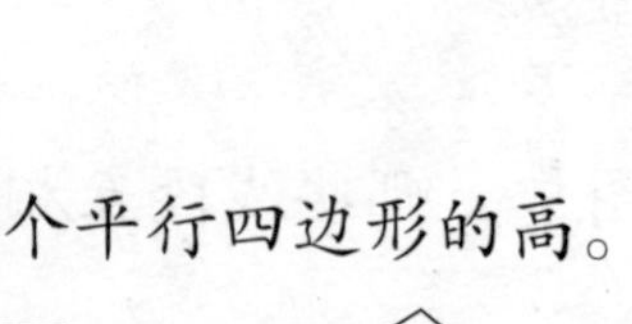
高
底

### 做一做

下面哪些图形是平行四边形？画出每个平行四边形的高。

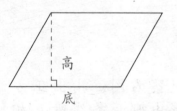

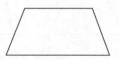

**2** 用四根吸管串成一个长方形，然后用两手捏住长方形的两个对角，向相反方向拉。

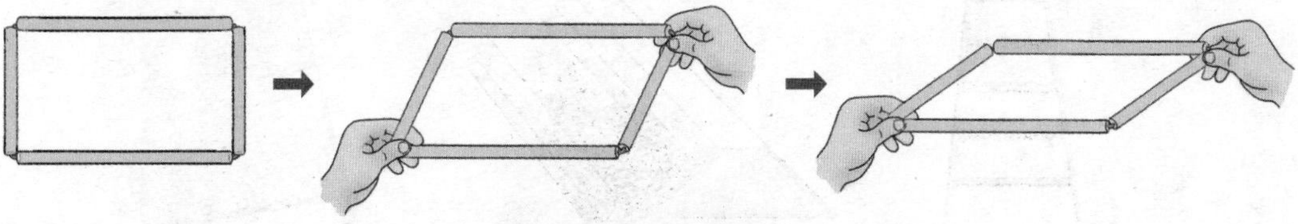

两组对边有什么变化？拉成了什么图形？
拉成了不同的平行四边形。

通过动手操作，我们发现平行四边形容易变形。平行四边形的这种特点，在实际生活中有广泛的应用。

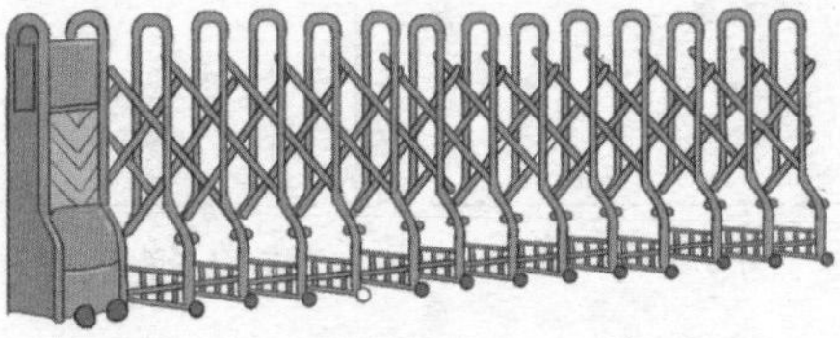

伸缩门

升降机

你还见过应用平行四边形这一特性的事例吗？

## 做一做

1. 用四根小棒摆一个平行四边形。

这四根小棒能围成不同的平行四边形吗？

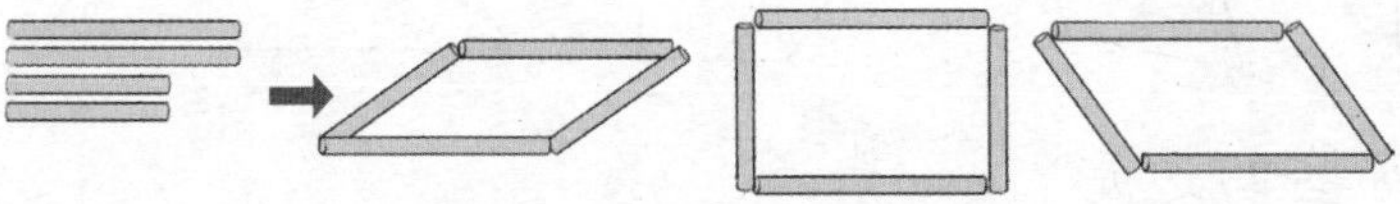

平行四边形的四条边确定了，它的形状能确定吗？

2. 在点子图上画出两个不同的平行四边形。

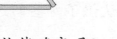

分别画出它们的高并量出来。

**3** 你见过下面这样的图形吗？它们有什么共同点？

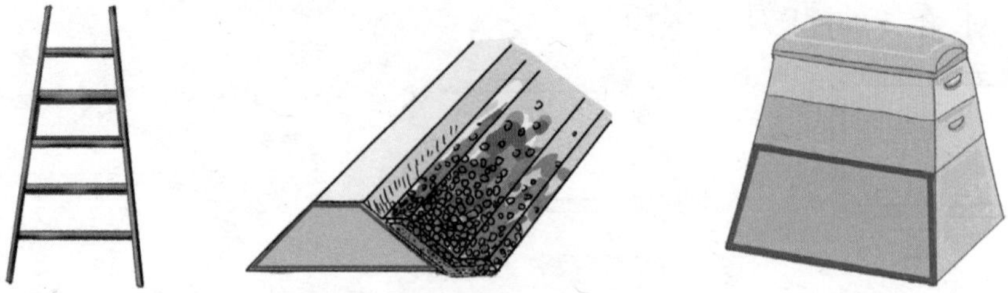

只有一组对边平行的四边形叫做**梯形**。

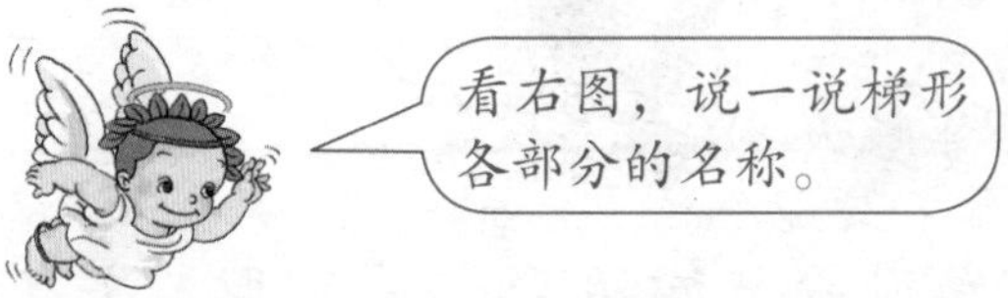


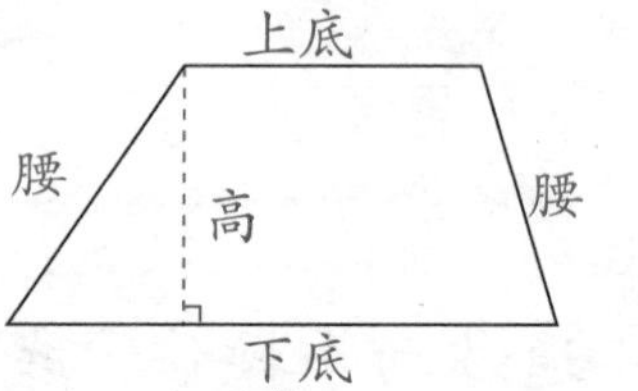


两腰相等的梯形叫做**等腰梯形**。

有一个角是直角的梯形叫做**直角梯形**。

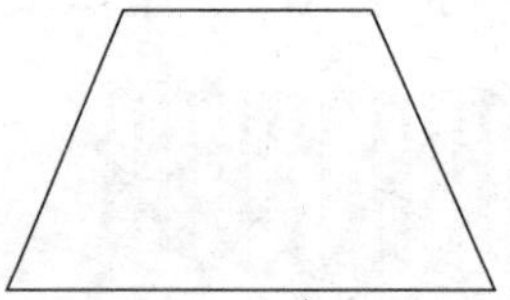
等腰梯形

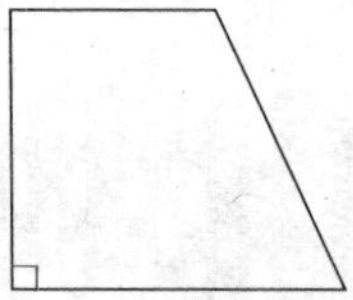
直角梯形

## 做一做

下面哪些图形是梯形？画出每个梯形的高，分别指出它们的上底、下底和腰。

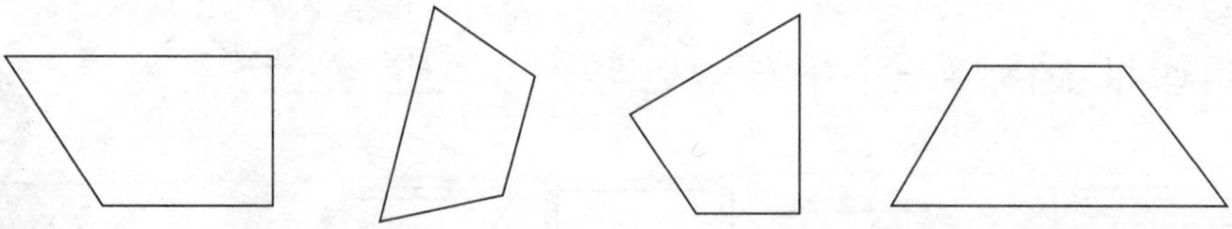

**4** 我们认识了哪些四边形？

我们认识了长方形、正方形……

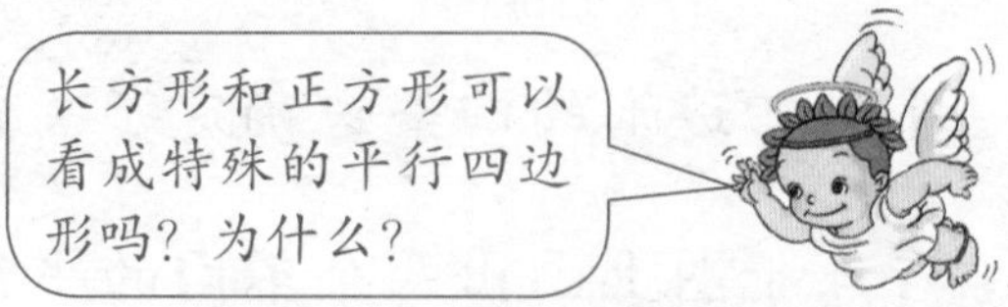

长方形和正方形可以看成特殊的平行四边形吗？为什么？

我们可以用右面这样的图来表示四边形之间的关系。

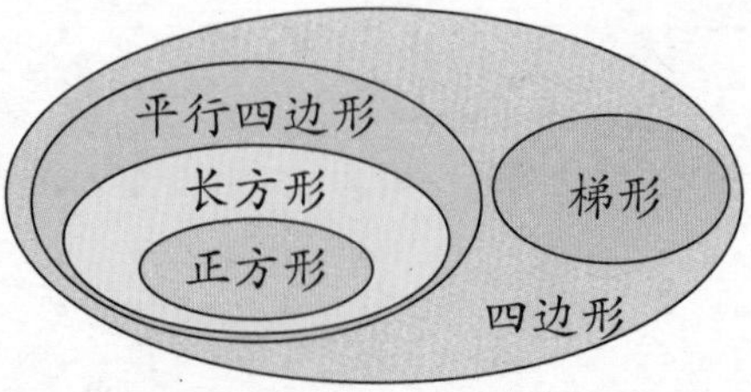

# 练习十一

1. 照下面这样画两组平行线，涂色部分是平行四边形吗？为什么？

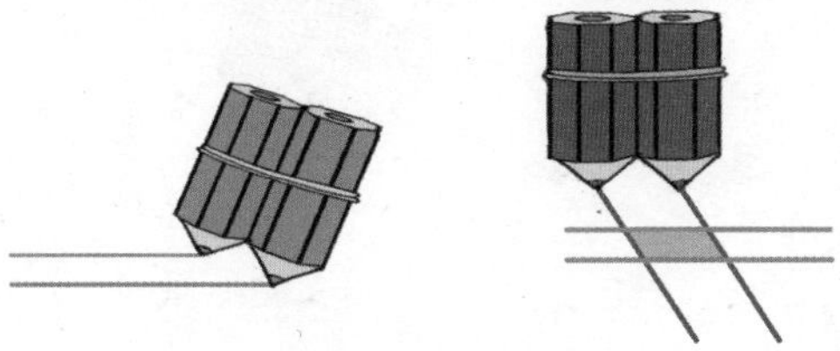

2. 你能用完全相同的两套三角尺拼出平行四边形吗？

3. 量出右边平行四边形的各个角，你能发现什么？

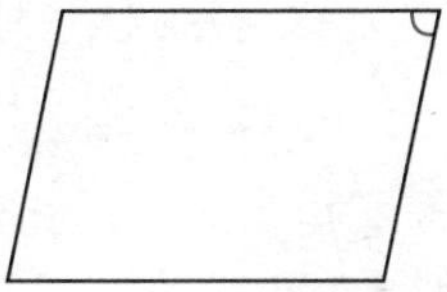

4. 在下面画出三个不同的梯形，分别量出它们的上底、下底和高。

5. 下图中有几个梯形？把它们指出来。

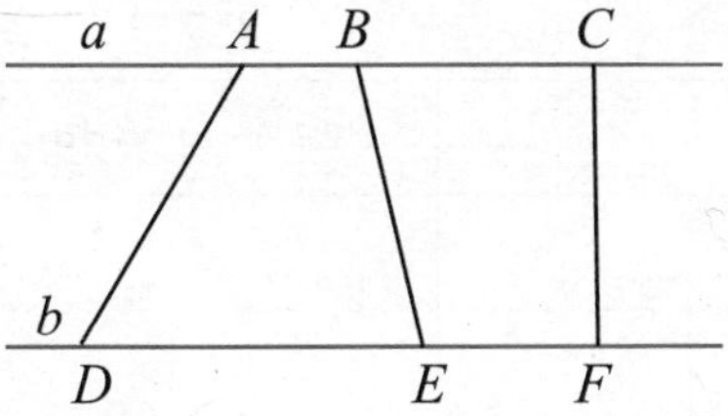

6. （1）在平行四边形纸上剪一刀，使剪下的两个图形都是梯形。
（2）在梯形纸上剪一刀，使剪下的图形中有一个是平行四边形。

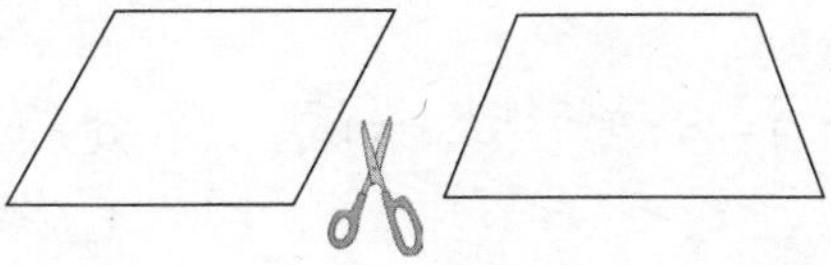

7. 说出下图中你学过的图形。

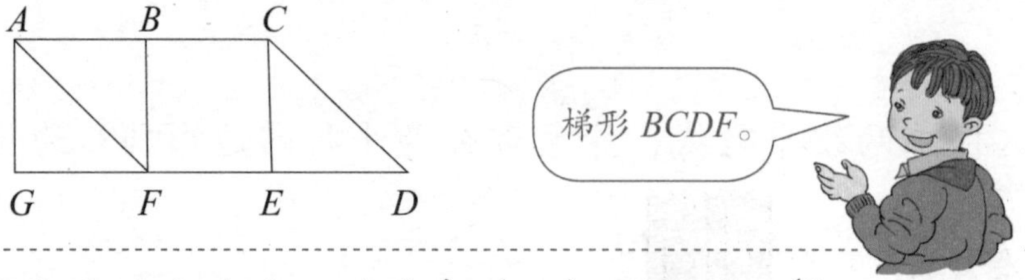


8. 下面的说法对吗？对的在（　）里画“√”。

（1）长方形也是平行四边形。（　）

（2）平行四边形是特殊的梯形。（　）

（3）两个完全相同的梯形可以拼成一个长方形。（　）

9. 将两张长方形纸随意交叉摆放，或将长方形纸和三角形纸随意交叉摆放，重叠的部分是什么图形？

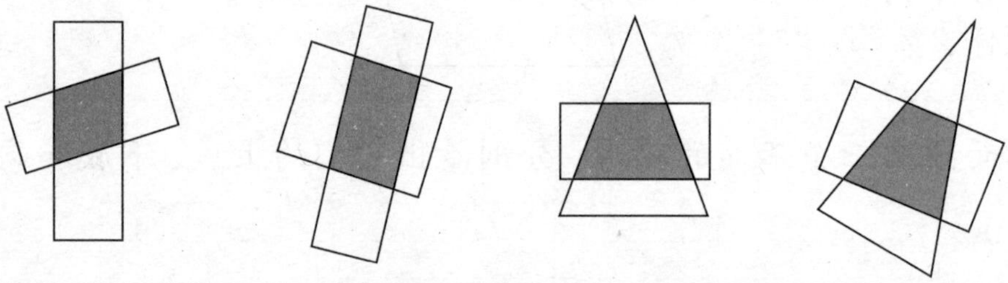

10. 量出下面各图形中每个角的度数，再填写下表。

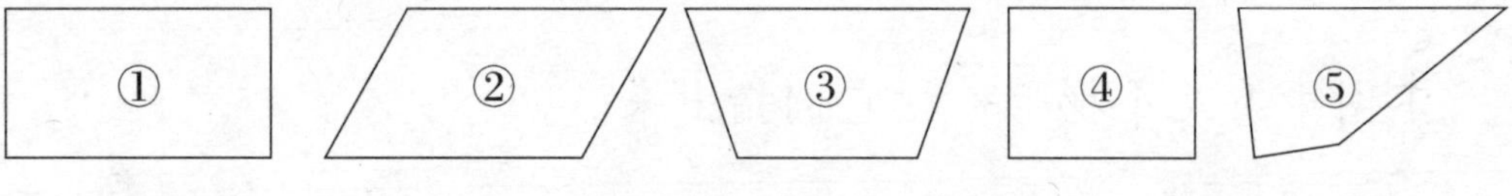


| 图　形 | 各个角的度数 | | | | 四个角的和 |
|---|---|---|---|---|---|
| ① | | | | | |
| ② | | | | | |
| ③ | | | | | |
| ④ | | | | | |
| ⑤ | | | | | |

你发现了什么？再任意画一个四边形试一试，你会得到同样的结论吗？

11. 用长方形纸剪出一个平行四边形。

12. 下面的图形是平行四边形吗？怎样改才能成为平行四边形？

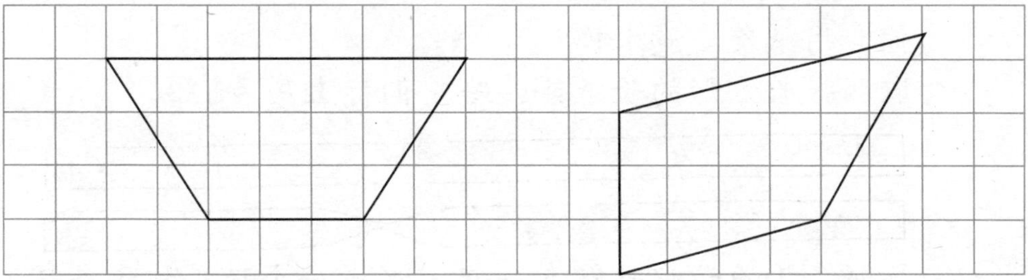

13. 用七巧板拼一拼。

（1）用其中的两块拼一个梯形。

（2）用其中的三块拼一个平行四边形。

（3）用其中的四块拼一个等腰梯形。

14.* 在右图中找出平行四边形和梯形。每种图形各有几个？

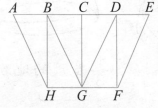

A
B
C
D
E
H
G
F

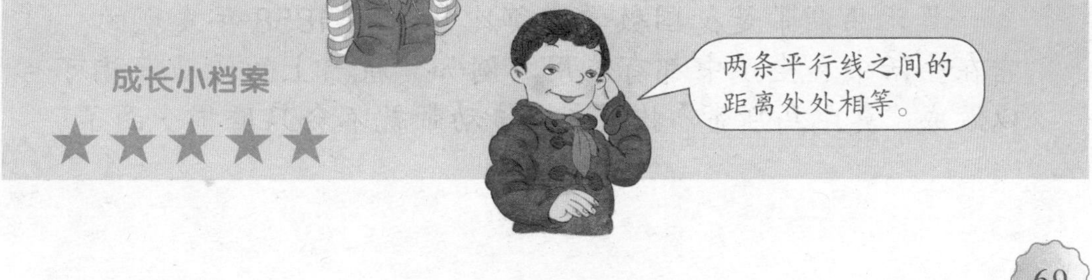
本单元结束了，你有什么收获？
平行四边形在生活中应用很广！
长方形也可以看作平行四边形。
两条平行线之间的距离处处相等。
成长小档案

# 神奇的莫比乌斯带

你会用纸条变魔术吗？

取两张长方形的长纸条，给它们标上序号①②。

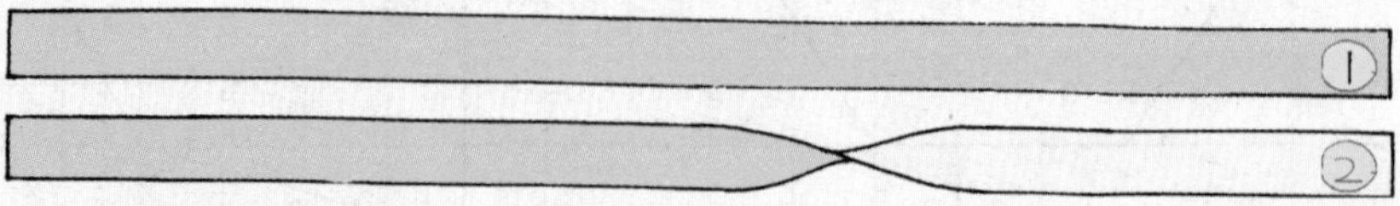
①
②

把纸条①的两端粘贴在一起，形成一个环；把纸条②先捏着一端，将另一端扭转180°，再粘贴起来，也形成一个环。

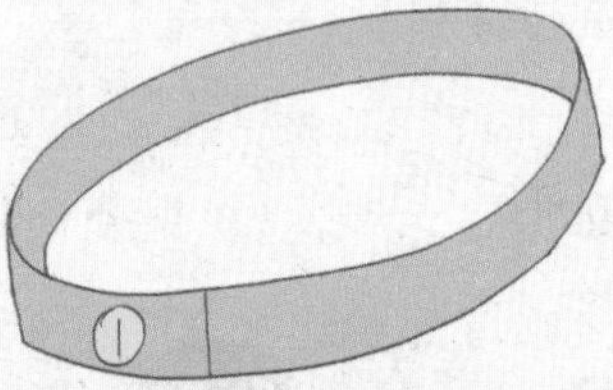
①

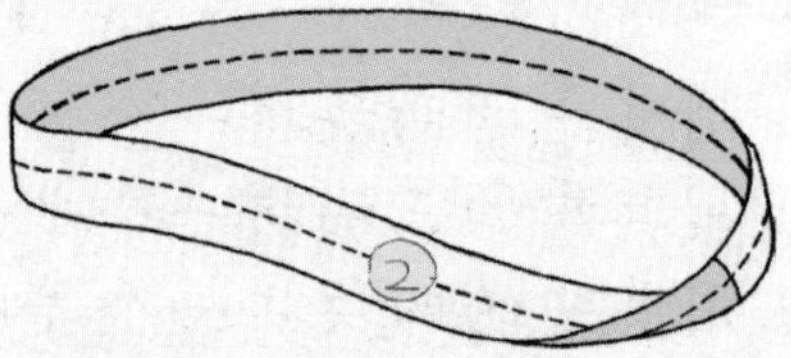
②

②号环有很多神奇的地方，不信，我们来试验一下！

①号环有几个面？②号环呢？用彩色笔涂一涂，看能不能一次连续不断地涂完②号环的整个面。

拿剪刀，沿②号环的中线剪开，你有什么发现？

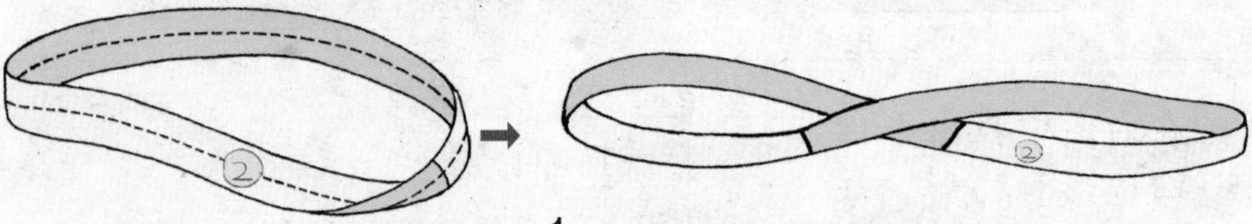
②
②

如果沿②号环离边缘$\frac{1}{3}$宽度的地方一直剪下去，你会有什么发现？

这个神奇的纸环叫做
莫比乌斯带。

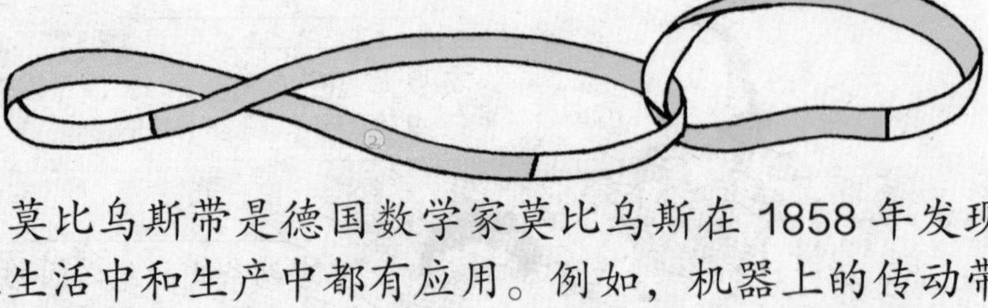
②

莫比乌斯带是德国数学家莫比乌斯在1858年发现的。它在生活中和生产中都有应用。例如，机器上的传动带就可以做成“莫比乌斯带”状，这样传动带就不会只磨损一面了。

# 6 除数是两位数的除法

## 1. 口算除法

**1** 有80面彩旗，每班分20面，可以分给几个班？

80÷20=________

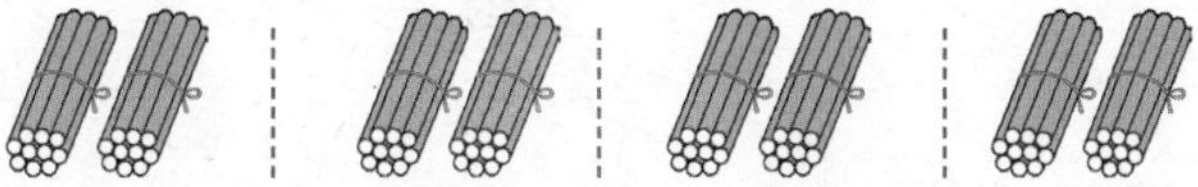

（　）个20是80，
80÷20=（　）。
8÷2=4，
80÷20=4。

想一想：83÷20≈____　　　80÷19≈____

**2** 150÷50=____

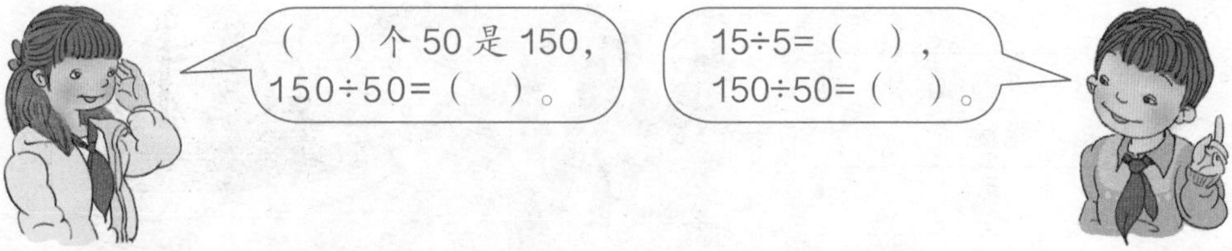
（　）个50是150，
150÷50=（　）。
15÷5=（　），
150÷50=（　）。

想一想：122÷30≈____　　　120÷28≈____

**做一做**

1. 60÷20=　　90÷30=　　40÷20=　　100÷20=
   62÷20≈　　93÷30≈　　42÷20≈　　103÷20≈
2. 180÷30=　　240÷40=　　420÷60=　　210÷30=
   184÷30≈　　240÷37≈　　420÷62≈　　210÷29≈

# 练习十二

1. 30×2=　　40×3=　　80×3=　　90×5=

　60÷30=　　120÷40=　　240÷80=　　450÷90=

2. ÷30

30 → □
180 → □
270 → □

÷40

80 → □
200 → □
280 → □

3.

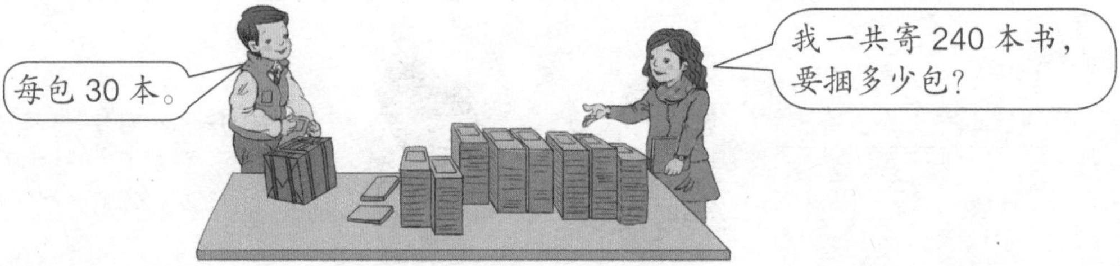

每包 30 本。
我一共寄 240 本书，要捆多少包？

4. 70÷10=　　100÷20=　　270÷90=　　320÷80=

　400÷50=　　60÷30=　　90÷30=　　120÷60=

　160÷80=　　300÷60=　　490÷70=　　630÷90=

5.

我们一共 160 人，运几次才能运完？
限载 40 人

6. 140÷20=　　630÷70=　　360÷40=

　143÷20≈　　632÷70≈　　363÷40≈

7.

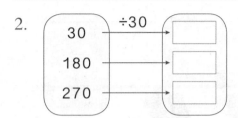

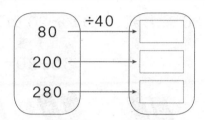

这本书一共有 120 个小故事，我每天看 1 个故事。

看完这本书大约需要几个月？

# 2. 笔算除法

**1** 92 本连环画，每班 30 本，可以分给几个班？

$92 \div 30 =$ ______

92 ≈ 90，92÷30 ≈ 3。

也可以列竖式计算。

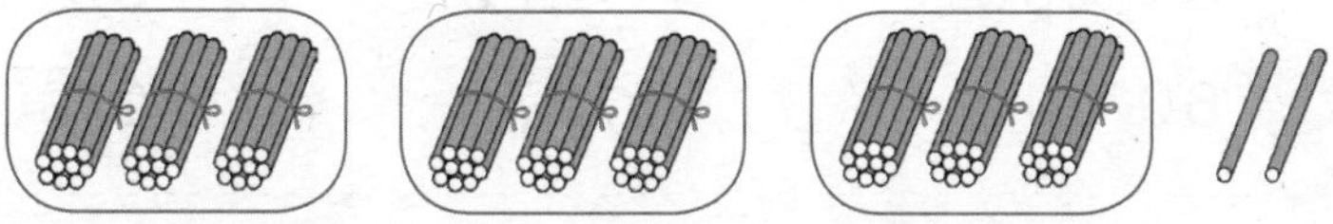

92 里面有（　）个 30，所以商（　）。

$$\begin{array}{r} 3 \\ 30\overline{)92} \\ \underline{90} \\ 2 \end{array} \leftarrow 30\times3$$

3 为什么写在个位上？

**2** $178 \div 30 =$ ____

被除数的前两位比 30 小，该怎么办？

$30\overline{)178}$

$17<30$

被除数的前两位不够除，要看前三位。

↓

$$\begin{array}{r} 5 \\ 30\overline{)178} \\ \underline{150} \\ 28 \end{array} \leftarrow 30\times5$$

30×（　）接近 178 且小于 178，所以商（　）。

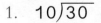

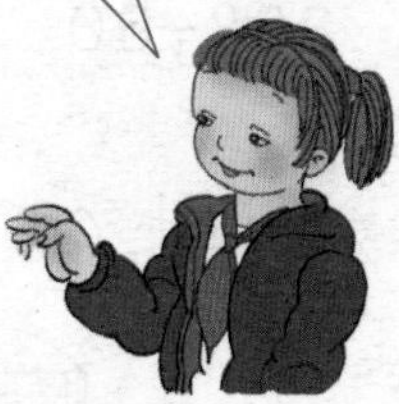

做一做

1. $10\overline{)30}$　　$20\overline{)40}$　　$30\overline{)64}$　　$40\overline{)85}$

2. $20\overline{)140}$　　$50\overline{)280}$　　$80\overline{)565}$　　$40\overline{)324}$

# 练习十三

1. （　　）里最大能填几？

20×（　　）<81　　50×（　　）<180　　40×（　　）<98

30×（　　）<96　　70×（　　）<412　　60×（　　）<488

2. 说出各题的商是几，应该写在什么位置。

$40\overline{)80}$　　$60\overline{)300}$　　$30\overline{)270}$　　$70\overline{)350}$

$40\overline{)83}$　　$60\overline{)312}$　　$30\overline{)273}$　　$70\overline{)364}$

3. 

用 75 元钱可以买几个小足球？还剩多少钱？

4. 先想一想各题的商的位置，再计算。

$10\overline{)36}$　　$20\overline{)49}$　　$30\overline{)100}$　　$40\overline{)148}$

$50\overline{)250}$　　$60\overline{)486}$　　$70\overline{)315}$　　$80\overline{)703}$

5. 口算。

60÷30=　　70÷10=　　80÷20=　　280÷40=

480÷60=　　160÷80=　　300÷50=　　630÷90=

6. 64÷40　　320÷80　　102÷30　　380÷70

308÷60　　78÷20　　432÷50　　97÷80

7. 要运走 480 吨货物，需要多少节车厢？ 590 吨呢？

8. 下面的计算对吗？把不对的改正过来。

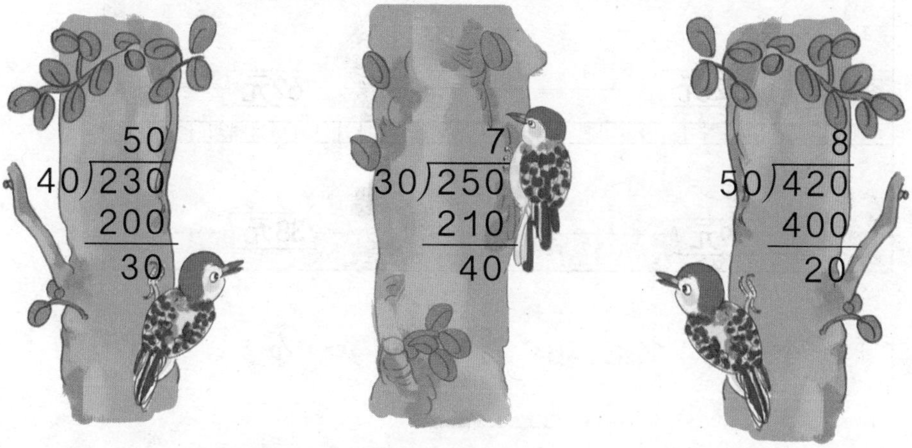

$$\begin{array}{r} 50 \\ 40\overline{)230} \\ \underline{200} \\ 30 \end{array}$$

$$\begin{array}{r} 7 \\ 30\overline{)250} \\ \underline{210} \\ 40 \end{array}$$

$$\begin{array}{r} 8 \\ 50\overline{)420} \\ \underline{400} \\ 20 \end{array}$$

9.

这些猪每天要吃30千克饲料。

饲料 100千克

一袋饲料够喂几天？还剩多少千克？

10. 在○中填上"＞""＜"或"＝"。

30×6 ○ 160    32×4 ○ 120    47×5 ○ 250

80×5 ○ 450    43×6 ○ 260    69×3 ○ 200

11. 236÷40    227÷70    725÷90    140÷40
    420÷60    179÷80    346÷40    117÷20

12.* 在下面的（　）里填上适当的数。

（　　）÷40=6……28    500÷（　　）=7……10

**3**

（1）一个笔袋 21 元，84 元可以买多少个？

84÷21=______

```
    4
21)84
   84
   --
    0
```

```
20   4
21)84
```

把 21 看作 20 来试商。

（2）一个台灯 62 元，430 元可以买几个？还剩多少元？

430÷62=________

把 62 看作多少来试商？

```
62)430
   ----
```

```
60    7              60    6
62)430        ➡      62)430
   434                  372
   ---                  ---
```

商 7 大了。　　改商 6。

请把这道题做完。

### 做一做

1. 32)96　　41)85　　80)324　　70)245

2. 13)61　　34)98　　22)143　　63)480

**4** 学校礼堂每排有 28 个座位，四年级共有 197 人，可以坐满几排？还剩几人？

$197 \div 28 =$ ______

把 28 看作多少来试商？

把 28 看作 30，先试 6。

$$\begin{array}{r} 30 \quad\ 6 \\ 28\overline{)197} \\ 168 \\ \hline 29 \end{array} \rightarrow \begin{array}{r} 30 \quad\ 7 \\ 28\overline{)197} \\ \\ \hline \end{array}$$

商 6 小了。　　改商 7。

请把这道题做完。　　$28\overline{)197}$

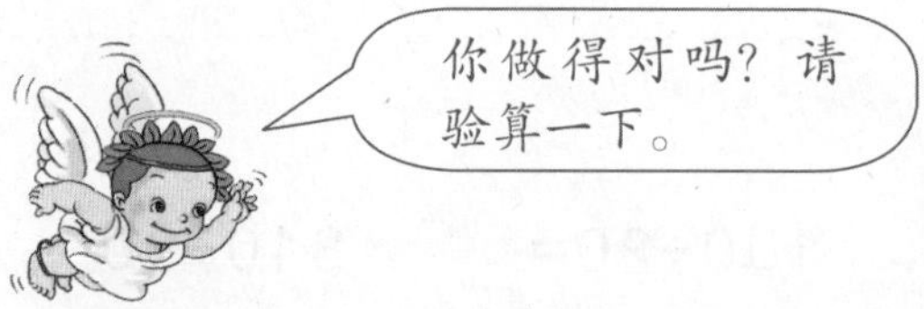

你做得对吗？请验算一下。

除数是两位数的除法，一般按照“四舍五入”法，把除数看作和它接近的整十数来试商。

## 做一做

1. $18\overline{)63}$　　$39\overline{)90}$　　$78\overline{)245}$　　$49\overline{)301}$

2. $17\overline{)97}$　　$27\overline{)89}$　　$28\overline{)199}$　　$59\overline{)297}$

# 练习十四

1. (　　) 里最大能填几?

20×(　　)<85　　60×(　　)<206　　40×(　　)<316

90×(　　)<643　　70×(　　)<165　　30×(　　)<282

2. 根据试商情况，很快说出准确的商。

```
20   3      40    5      50    7      70    6
22)64       43)204       51)350       74)444
   66          215          357          444
```

3. 84÷42　　176÷22　　326÷73　　708÷91

68÷21　　72÷33　　410÷82　　508÷63

4.

这本杂志是月刊，每月发行一期。
最新的一期是第72期。

这本杂志创刊多少年了?

5. 口算。

40÷40=　　50÷50=　　100÷20=　　810÷90=

540÷60=　　280÷40=　　640÷80=　　560÷70=

6. 96÷32　　100÷30　　430÷71　　251÷80

70÷21　　86÷43　　456÷52　　360÷63

7.

```
70    9        50    6
72)638         53)316
   630            318
     8              2
```

把不对的改正过来。

8. 不用竖式计算，很快说出下面各题的商。

$22\overline{)88}$　　$52\overline{)155}$　　$63\overline{)244}$　　$33\overline{)264}$

$30\overline{)75}$　　$91\overline{)375}$　　$70\overline{)250}$　　$82\overline{)496}$

9.

每件特快专递要花22元，共寄了多少件特快专递？
我寄特快专递花了132元。

10. 计算下面各题，你发现了什么？

$12\overline{)108}$　　$23\overline{)219}$　　$44\overline{)425}$　　$54\overline{)524}$

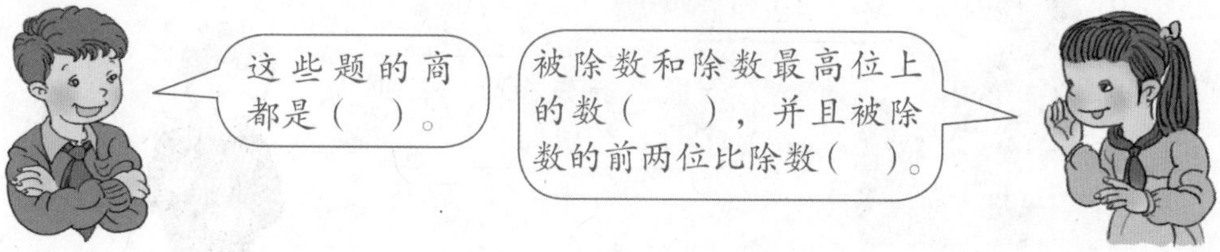

这些题的商都是（　）。
被除数和除数最高位上的数（　），并且被除数的前两位比除数（　）。

11.（　）里最大能填几？

60×(　　)<262　　　80×(　　)<453

30×(　　)<206　　　60×(　　)<417

50×(　　)<368　　　90×(　　)<641

12. 根据试商情况，很快说出准确的商。

| | | | |
|---|---|---|---|
| 50　7 | 30　8 | 90　4 | 30　7 |
| $48\overline{)394}$ | $27\overline{)246}$ | $89\overline{)448}$ | $26\overline{)227}$ |
| 336 | 216 | 356 | 182 |

13. 81÷27　　96÷18　　406÷78　　218÷37

79÷39　　104÷28　　171÷19　　562÷89

14. 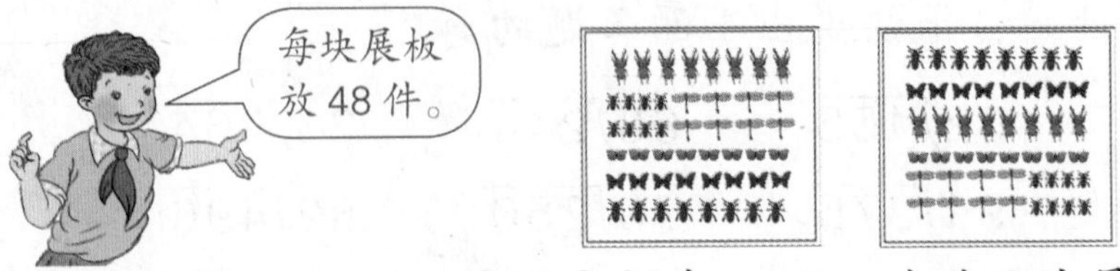
每块展板
放48件。

学校一共展示了336件昆虫标本，可以放满几块展板？

15. 31)270　　23)196　　52)302　　63)496

38)270　　39)196　　57)302　　69)496

试商时，什么情况下商可能试大了？什么情况下商可能试小了？

16. 不用竖式计算，很快说出下面各题的商。

29)87　　19)134　　57)421　　78)738

23)96　　47)341　　21)130　　52)219

17. 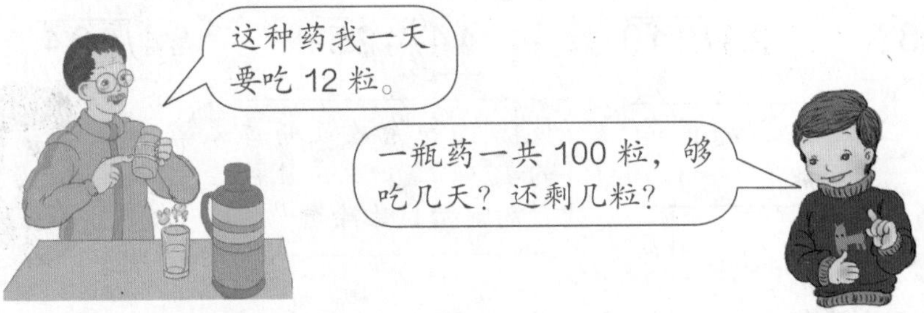
这种药我一天
要吃12粒。
一瓶药一共100粒，够
吃几天？还剩几粒？

18. 计算下面各题，你发现了什么？

39)312　　47)405　　17)163　　58)524

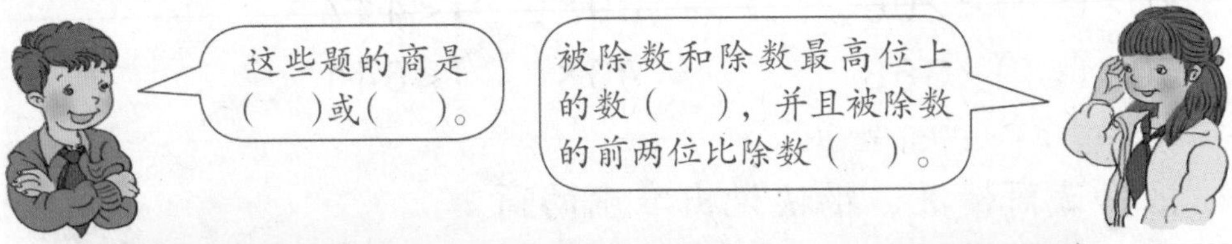
这些题的商是
(　　)或(　　)。
被除数和除数最高位上
的数(　　)，并且被除数
的前两位比除数(　　)。

19. 
29元/件
49元/2件
我有185元，最
多可以买多少件？
还剩多少钱？

有些除法题，按照“四舍五入”法，试商的次数比较多，可以根据不同的情况用不同的方法来试商。

**5** 240÷26=________

怎样能很快想出商？

把26看作30来试商。

```
30     8                  □
26 ) 240    ➡  26 ) 240
     208              ____
     ____
      32
```

商8小了。32里面还有1个26。 改商（ ）。

想10个26是260。

```
        9
26 ) 240
```

10个26是260，比240多20，可以商9。

把26看作25来试商。

```
25      □
26 ) 240

     ____
```

4个25是100，8个25是200。余下的40里还有（ ）个25。

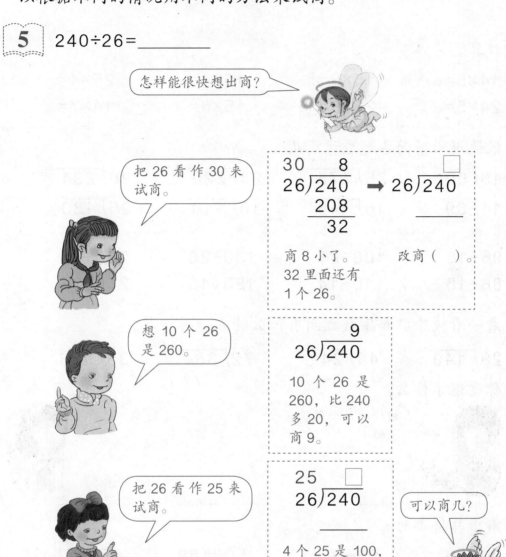

可以商几？

哪种方法比较简便？你是怎样想出商的？

## 做一做

$16\overline{)96}$　　$25\overline{)200}$　　$26\overline{)104}$　　$24\overline{)182}$

把你试商的过程说给同学听听。

# 练习十五

1. 口算。

| | | | |
|---|---|---|---|
| 14×5= | 15×8= | 16×4= | 25×4= |
| 24×5= | 26×3= | 15×6= | 14×7= |

2. 很快说出下面各题应该商几。

| | | | |
|---|---|---|---|
| $15\overline{)60}$ | $25\overline{)175}$ | $24\overline{)220}$ | $26\overline{)234}$ |
| $14\overline{)89}$ | $16\overline{)146}$ | $16\overline{)118}$ | $25\overline{)180}$ |

3.

| | | | |
|---|---|---|---|
| 96÷16 | 108÷24 | 130÷26 | 230÷25 |
| 86÷15 | 110÷14 | 125÷15 | 250÷26 |

4. 看一看被除数和除数之间有什么特点，再计算。

| | | | |
|---|---|---|---|
| $28\overline{)140}$ | $48\overline{)242}$ | $72\overline{)364}$ | $36\overline{)188}$ |

你发现了什么？

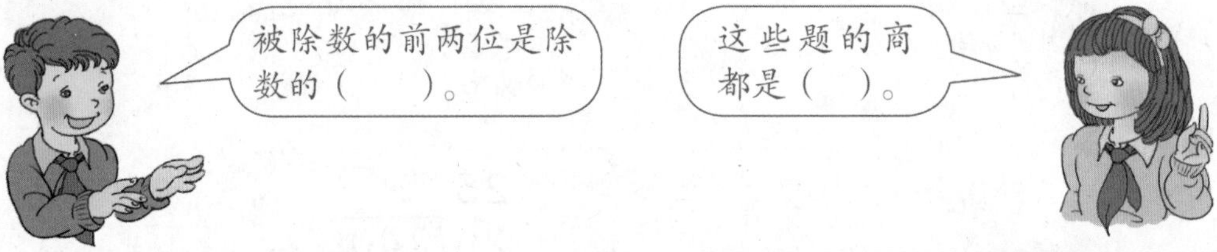

被除数的前两位是除数的（　　）。
这些题的商都是（　）。

5. 看谁算得都对。

| | | | |
|---|---|---|---|
| 80÷16 | 98÷32 | 502÷69 | 564÷85 |
| 70÷17 | 138÷23 | 248÷45 | 252÷36 |
| 72÷24 | 166÷39 | 210÷35 | 165÷25 |

6. 小乐每分钟走 65 米，小红每分钟走 60 米。

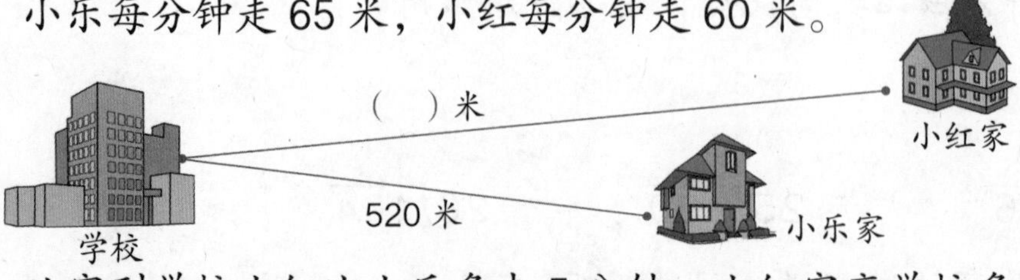


从家到学校小红比小乐多走 5 分钟，小红家离学校多少米？

学校共有612名学生，每18人组成一个环保小组。可以组成多少组？

$$612 \div 18 = \underline{\qquad}$$

 先算18除什么数？

$$\begin{array}{r} 34 \\ 18\overline{)612} \\ \underline{54} \\ 72 \\ \underline{72} \\ 0 \end{array}$$

$$\begin{array}{r} 30 \\ 18\overline{)612} \\ \underline{540} \\ 7 \end{array}$$

18除61个十，商3个十，余7个十。

➡

$$\begin{array}{r} 4 \\ 30 \\ 18\overline{)612} \\ \underline{54} \\ 72 \\ \underline{72} \\ 0 \end{array}$$

18除72，商4。

7 $940 \div 31 = \underline{\qquad}$

 为什么商的个位商0？

$$\begin{array}{r} 30 \\ 31\overline{)940} \\ \underline{93} \\ 10 \end{array}$$

 如果被除数是930，商的个位商几？

 验算一下，上面的计算对吗？

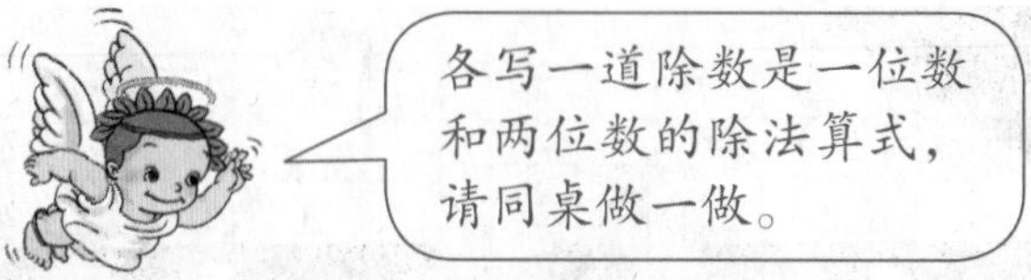
各写一道除数是一位数和两位数的除法算式，请同桌做一做。

除数是两位数的除法与除数是一位数的除法有什么相同点？有什么不同点？

每求出一位商，余下的数……
先试除被除数的前……
都是从被除数的高位除起。
除到被除数的哪一位，就……

总结一下除数是两位数的除法的计算方法。

1. 从被除数的______位除起，先用除数试除被除数的前______位数，如果它比除数小，再试除前______位数。
2. 除到被除数的哪一位，就在那一位上面写______。
3. 求出每一位商，余下的数必须比除数______。

## 做一做

1. 计算下面各题，说一说先试除被除数的前几位数。

$43\overline{)989}$　　　　$58\overline{)244}$　　　　$26\overline{)768}$

2. 计算下面各题。

$54\overline{)784}$　　　$31\overline{)649}$　　　$12\overline{)364}$　　　$38\overline{)762}$

# 练 习 十 六

1. 计算下面各题，说一说上下两组题有什么区别。

12)204　　25)775　　57)967　　34)364

12)113　　25)240　　57)209　　34)325

2. 不用竖式计算，判断下面各题商是几位数。

17)136　　26)584　　39)370　　63)762

3. 416÷32　　913÷85　　471÷67　　369÷41

854÷64　　780÷26　　670÷25　　520÷89

4. 下表是小新做俯卧撑的统计表，请完成下表。

| 月份 | 2月 | 3月 | 4月 |
| --- | --- | --- | --- |
| 总个数 | 252 | 403 | 360 |
| 平均每天做的个数 | | | |

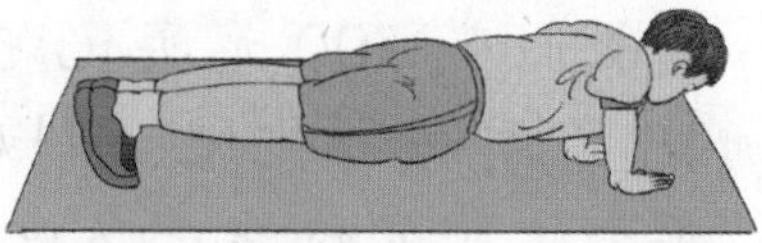

5. 计算下面各题，并且验算。

902÷22　　583÷19　　619÷75　　435÷73

312÷52　　752÷26　　990÷48　　900÷45

6. 下面的计算对吗？把不对的改正过来。

```
     7          2          21          8
53)351     30)607     28)597     73)620
   351        60         56         584
   ---        ---        ---        ---
     0          7         37         46
                          28
                          ---
                          11
```

7. 在○里填上“>”或“<”。

38×6 ○ 240　　45×6 ○ 300　　83×7 ○ 560

64×8 ○ 480　　36×9 ○ 360　　78×5 ○ 400

8. 王平家到外婆家的路程是 504 千米。

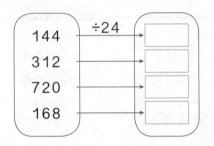

| |  |  |  |  |
|---|---|---|---|---|
| 速　度 | 14 千米/时 | 63 千米/时 | 72 千米/时 | 84 千米/时 |
| 行 504 千米用的时间 | | | | |

他到外婆家应该选择哪种交通工具？

9. 先说出每道题的商是几位数，再在□里填上商。

| | ÷24 | | ÷18 |
|---|---|---|---|
| 144 | □ | 126 | □ |
| 312 | □ | 414 | □ |
| 720 | □ | 162 | □ |
| 168 | □ | 288 | □ |

10. 刘叔叔带 700 元买化肥。买了 16 袋同一种化肥，剩 60 元。每袋化肥的价钱是多少？

11. 87÷42　　252÷64　　247÷19　　221÷37

118÷53　　385÷36　　158÷25　　920÷23

12. 按要求在□里填上一个适当的数字，再计算。

商是一位数

□25÷38

□96÷82

商是两位数

□76÷27

□04÷64

13. 育英小学的 180 名少先队员在“爱心日”帮助军属做好事。这些少先队员平均分成 5 队，每队分成 4 组活动。平均每组有多少名少先队员？

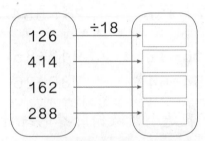

**8** 计算下面两组题，你能发现什么？

（1）

| 16 | |
|----|--|
| 160 | ÷8= |
| 320 | |

（2）

200÷

| 2 | |
|---|--|
| 20 | = |
| 40 | |

除数不变，被除数乘几，商也乘几。

被除数不变，除数乘几，商反而除以几。

从下往上观察，你又能发现什么？

（3）计算并观察下面的题。

从上往下观察

6÷3＝ _____

60÷30＝ _____

600÷300＝ _____

6000÷3000＝ _____

从下往上观察

你发现了什么规律？

从上往下观察：

被除数和除数都乘一个相同的数，商不变。

从下往上观察：

被除数和除数都除以一个相同的数，商不变。

同乘或同除以的这个数不能是0。

你能举例验证这些规律吗？

根据每组题中第1题的商，写出下面两题的商。

72÷9＝          36÷3＝          80÷4＝

720÷90＝        360÷30＝        800÷40＝

7200÷900＝      3600÷300＝      8000÷400＝

应用商的变化规律不仅可以使口算简便，还可以使笔算简便。

**9** （1）780÷30=________

我这样做。

小平

```
      26
30)780
   60
   180
   180
     0
```

```
      26
30)780
   6
   18
   18
    0
```

我这样做。

小英

小英那样做对吗？为什么？

（2） 120÷15=________

120÷15

=（120×4）÷（15×4）

=480÷60

=8

被除数和除数都乘4，商不变。

**10** 840÷50=________

余 4。

```
      16
50)840
   5
   34
   30
    4
```

余 40。

谁说得对？你能验证一下吗？

## 做一做

1. 600÷40　　540÷20　　670÷30　　980÷50

2. 在（ ）里填上适当的数，使计算简便。

| 180÷45= | 450÷18= | 120÷15= | 210÷42= |
| --- | --- | --- | --- |
| ↓×（ ） ↓×2 | ↓÷（ ） ↓÷9 | ↓×（ ） ↓×（ ） | ↓÷（ ） ↓÷（ ） |
| ____ ÷90 | ____ ÷2 | ____÷____ | ____÷____ |

# 练 习 十 七

1.（1）很快说出下面各题的得数。

120÷30　　560÷80　　480÷40　　360÷90

（2）下面的题你会做吗？

6300÷700　　3200÷400　　8100÷300

2. 用你喜欢的方法计算。

560÷80　　630÷20　　700÷25　　180÷36

910÷70　　9000÷600　　140÷35　　800÷50

3. 选择正确的余数填在□里。

（1）830÷40=20……□　　（3，30）

（2）640÷50=12……□　　（4，40）

（3）1300÷200=6……□　　（1，10，100）

4. 下面的说法对吗？对的在（　）里画“√”。

（1）一个除法算式，被除数乘 15，要使商不变，除数也要乘 15。（　）

（2）两个数的商是 8，如果被除数不变，除数乘 4，商就变成 32。（　）

（3）一个除法算式的被除数、除数都除以 3 以后，商是 20，那么原来的商是 60。（　）

5. 你能直接写出下面各题的得数吗？

5400÷600=　　6300÷900=　　1500÷300=

2800÷700=　　4800÷800=　　4200÷600=

3000÷500=　　2000÷400=　　4500÷500=

6. 根据每组题的第 1 题的商，写出下面两题的商。

| | | |
|---|---|---|
| 56÷2=28 | 45÷9=5 | 40÷5=8 |
| 560÷20= | 90÷18= | 120÷5= |
| 560÷2= | 180÷36= | 280÷35= |

7. 下面是一个小公园周一到周五卖出门票的记录表，请把表填完整。

| 总价 / 元 | 16 | 32 | 80 | | 320 |
|---|---|---|---|---|---|
| 门票张数 | 4 | | 20 | 40 | |
| 单价 / 元 | | 4 | | 4 | 4 |

8. 下面的计算对吗？把不对的改正过来。

```
     120              310
80)960          210)65100
    8                63
   ---              ----
    16               21
    16               21
   ---              ----
     0                0
```

9. （1）计算下面三组题，你发现了什么？

| | | |
|---|---|---|
| 160÷(4×8) | 96÷(3×8) | 105÷(5×7) |
| 160÷4÷8 | 96÷3÷8 | 105÷5÷7 |

（2）用你喜欢的方法计算。

| | | |
|---|---|---|
| 420÷21 | 144÷(2×8) | 270÷(6×9) |
| 420÷3÷7 | 144÷2÷8 | 270÷9÷6 |

10. 先说出商是几位数，再计算。

| | | | |
|---|---|---|---|
| 918÷18 | 423÷84 | 608÷62 | 225÷45 |
| 118÷29 | 658÷47 | 964÷24 | 828÷36 |

11. 拿出两张卡片，使它们的商是 7。你能有多少种拿法？

280　20　560　40　420　80　140　60

# 整理和复习

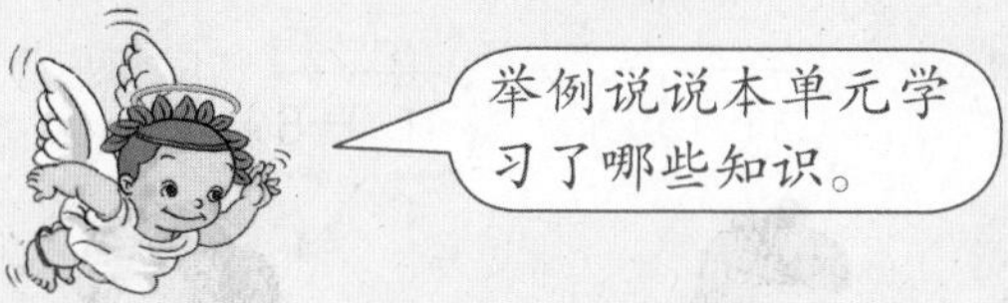
举例说说本单元学习了哪些知识。

| 口算除法 | 笔算除法 | 商的变化规律 |
| --- | --- | --- |
| | | |
| | | |

1. 口算下面各题，并说一说你是怎样想的。

360÷60=　　90÷30=　　640÷80=　　140÷70=

250÷50=　　540÷90=　　300÷50=　　360÷40=

2. 想一想，笔算除数是两位数的除法应注意哪些问题，再计算下面各题。

41)287　　26)205　　35)364　　27)864

39)352　　56)840　　61)239　　32)690

3. 根据商的变化规律，直接由54÷6=9，写出下面算式的商。

540÷60=　　108÷6=　　108÷12=

5400÷600=　　54÷2=　　216÷24=

4. 176元最多能买多少棵下面这样的树苗？

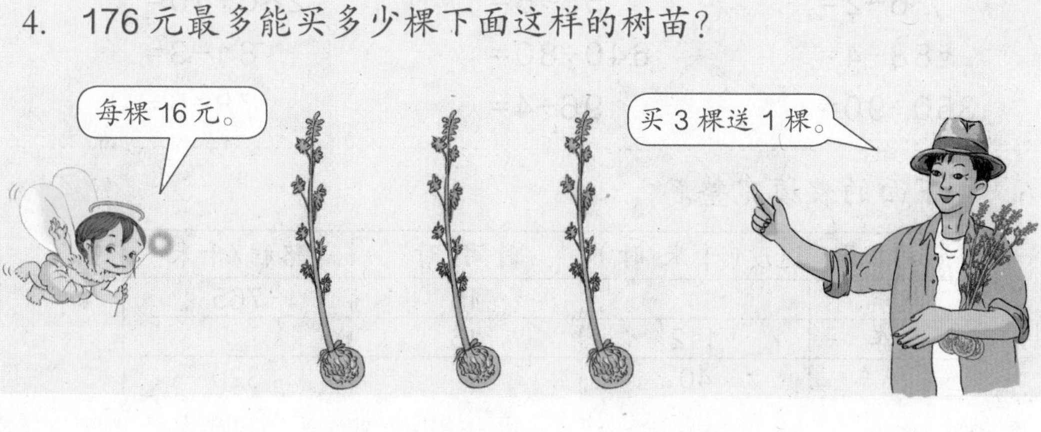
每棵16元。
买3棵送1棵。

# 练习十八

1. 看谁算得对。

75÷5
得 15。
400÷8
?

2. 先判断下面各题的商是几位数，再计算。

792÷36　　462÷84　　656÷82　　686÷34

400÷25　　640÷45　　345÷68　　598÷26

3. 接着往下算。

```
      1
50 ) 850
      5
     ----
      35
     ----

700 ) 9100
      ----

      ----
```

为什么可以
这样计算?

4. 12 箱蜜蜂一年可以酿 900 千克蜂蜜。小林家养了这样的 5 箱蜜蜂，一年可以酿多少千克蜂蜜?

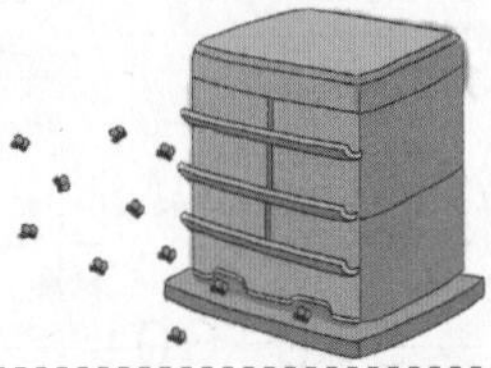

5. 直接写出得数。

26÷2=　　55÷5=　　280÷40=

88÷4=　　640÷80=　　81÷3=

360÷90=　　96÷4=　　78÷6=

6. 把下面的表填完整。

| 交通工具 | 速度(千米/时) | 时间/时 | 路程/千米 |
|---|---|---|---|
| 汽车 | | 15 | 765 |
| 火车 | 112 | 16 | |
| 摩托车 | 40 | | 320 |

7. 填空。

（1）试商时，可以把除数 45 看成（　）来试商。

（2）□60÷48，要使商是两位数，□里最小填（　）。

（3）除数除以 3，被除数 ________，商不变。

8. 下面的计算对吗？把不对的改正过来。

```
     95           22           14           120
60)573       28)625       33)472       70)850
   54           56           33           7
   ---          ---          ---          ---
    33           65          142          15
    30           56          132          14
   ---          ---          ---          ---
     3           11           10           1
```

9.

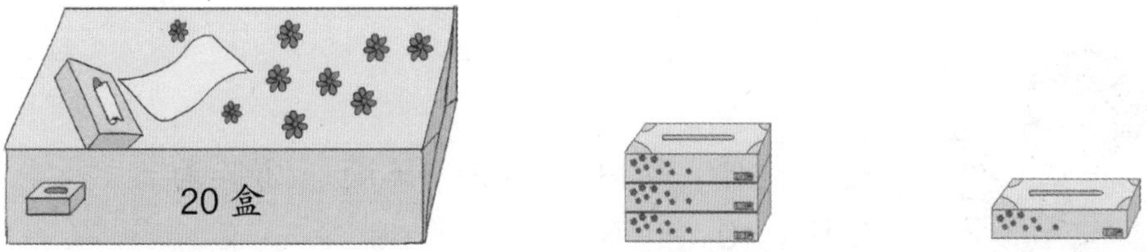


每箱 60 元　　3 盒 10 元　　1 盒 4 元

上面是同一种盒装面巾纸的价钱。一家宾馆要买 35 盒这种面巾纸，怎样买最省钱？买 37 盒又该怎样买？

10. 在下面的方格里，填哪几个数字商是一位数？填哪几个数字商是两位数？

45)□25　　　　36)3□9

本单元结束了，你有什么收获？

其实除数是两位数的除法与除数是一位数的只有一点不同。
用商的变化规律可以使计算简便。

成长小档案

★★★
★★★

# 7 条形统计图

| 日 | 一 | 二 | 三 | 四 | 五 | 六 |
|---|---|---|---|---|---|---|
|  |  |  | 1 | 2 | 3 | 4 |
| 5 | 6 | 7 | 8 | 9 | 10 | 11 |
| 12 | 13 | 14 | 15 | 16 | 17 | 18 |
| 19 | 20 | 21 | 22 | 23 | 24 | 25 |
| 26 | 27 | 28 | 29 | 30 | 31 |  |

☀ 晴   ☁ 阴   ⛅ 多云   🌦 阵雨   ⛈ 雷阵雨

这是北京市 2012 年 8 月的天气情况。

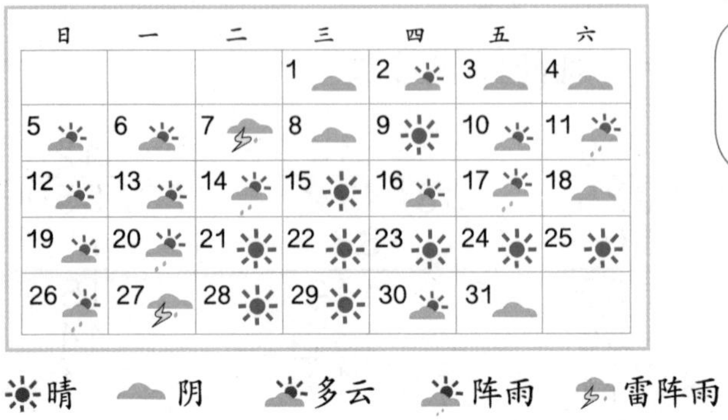

这个月的每种天气各有多少天? 你能把它们清楚地表示出来吗?

我用统计表表示。

| 天气 | 晴 | 阴 | 多云 | 阵雨 | 雷阵雨 |
|---|---|---|---|---|---|
| 天数 | 9 | 6 | 9 | 5 | 2 |

小东

还可以用条形图来表示。

我这样表示。

小红

晴 阴 多云 阵雨 雷阵雨

他们把数据都表示清楚了吗?

小红的方法和条形图哪种表示更清楚?

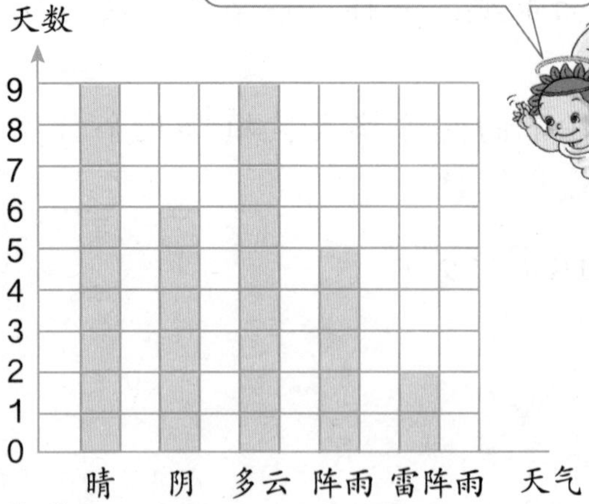

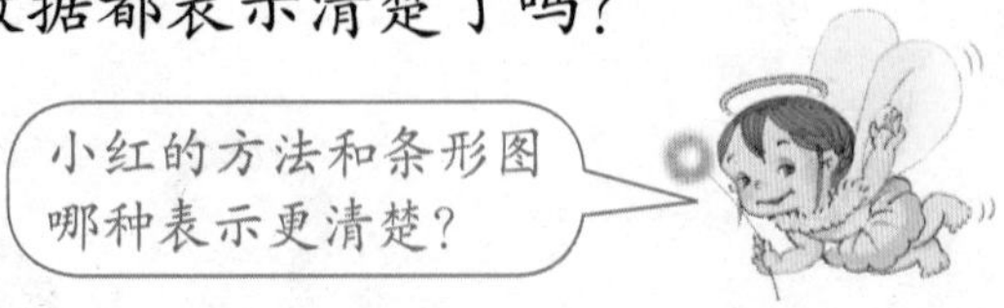

条形图和统计表各有什么特点, 你能得到哪些信息?

## 做一做

统计一下本班同学出生的月份。

| 出生月份 | 一 | 二 | 三 | 四 | 五 | 六 | 七 | 八 | 九 | 十 | 十一 | 十二 |
|---|---|---|---|---|---|---|---|---|---|---|---|---|
| 人　数 | | | | | | | | | | | | |

把上面的数据在下面用条形图表示出来。

我们的出生月份

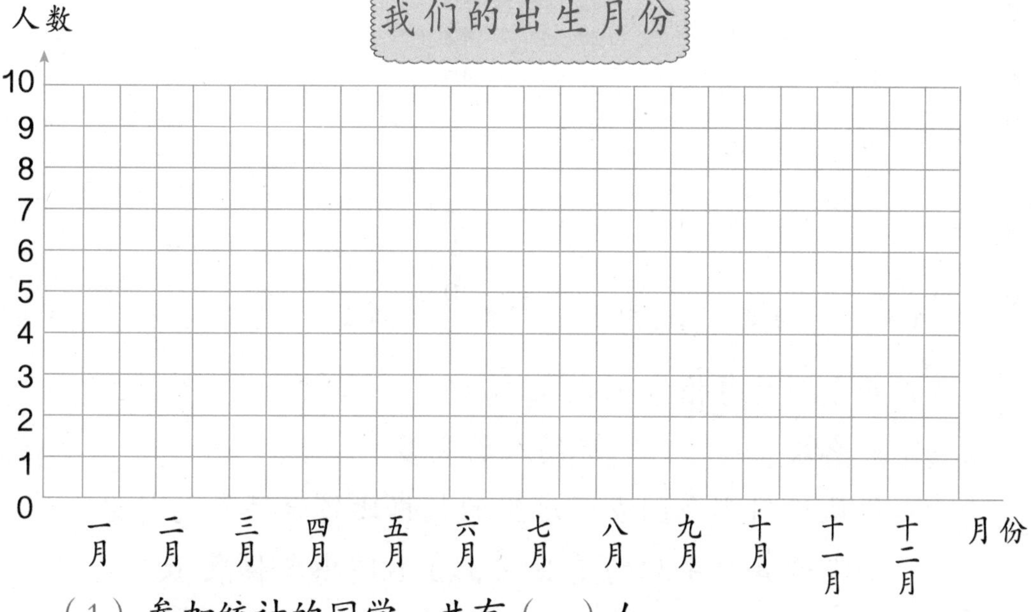


（1）参加统计的同学一共有（　　）人。

（2）有出生人数相同的月份吗？是哪几个月？

（3）（　　）月出生的人数最多，（　　）月出生的人数最少。

**2** 下面是四（1）班同学最喜欢的一种早餐（不包括主食）统计表。

| 最喜欢的早餐 |  牛奶 |  豆浆 |  粥 |
|---|---|---|---|
| 人　数 | 6 | 12 | 24 |

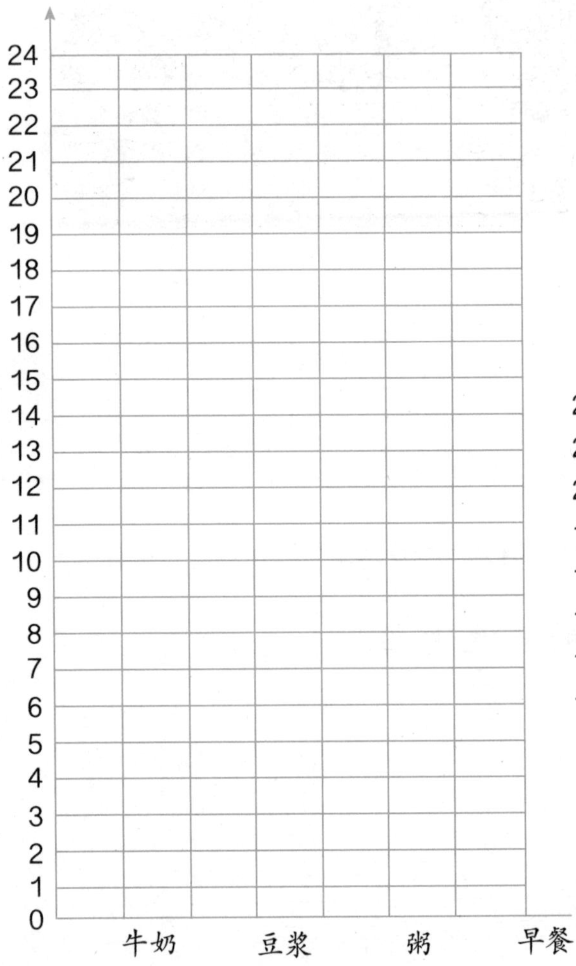

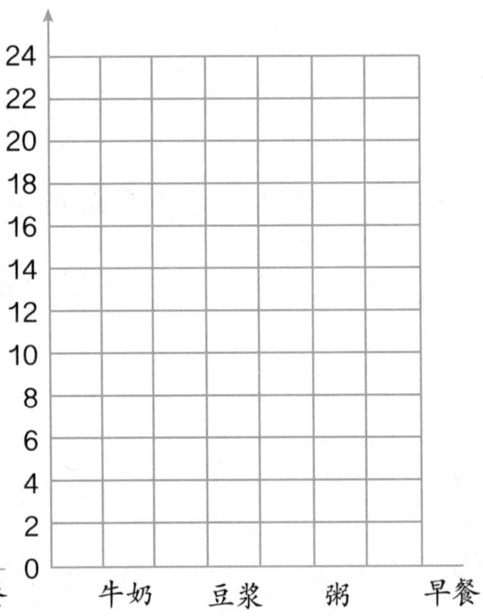


（1）两个图的每格分别代表几人？

（2）最喜欢（　　　　）的人数最多。

（3）你认为用哪个图表示这里的数据比较合适？为什么？

（4）如果最喜欢牛奶的是5人，在右图中怎样表示？

## 做一做

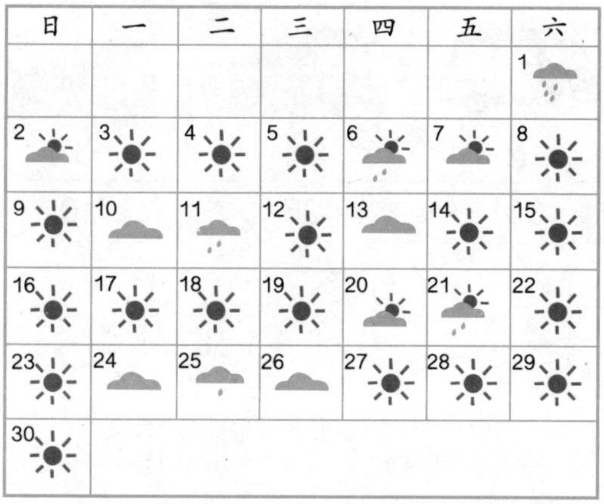

根据例1的数据和上面的记录单填写下表。

| 天气<br>天数<br>月份 | 晴 | 阴 | 多云 | 雨 |
|---|---|---|---|---|
| 8月 | | | | |
| 9月 | | | | |

把上面的数据在下面分别用条形图表示出来。

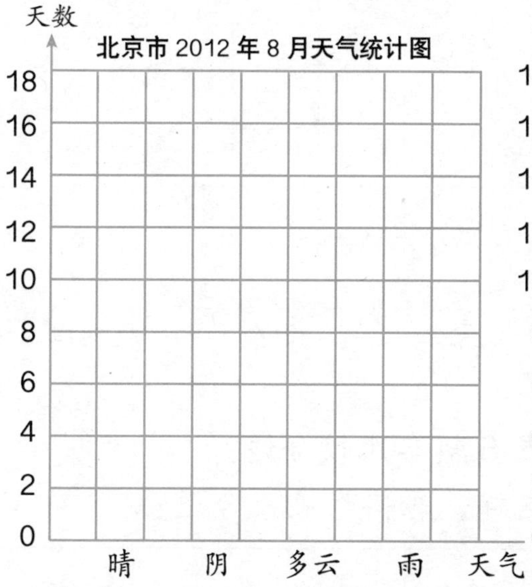


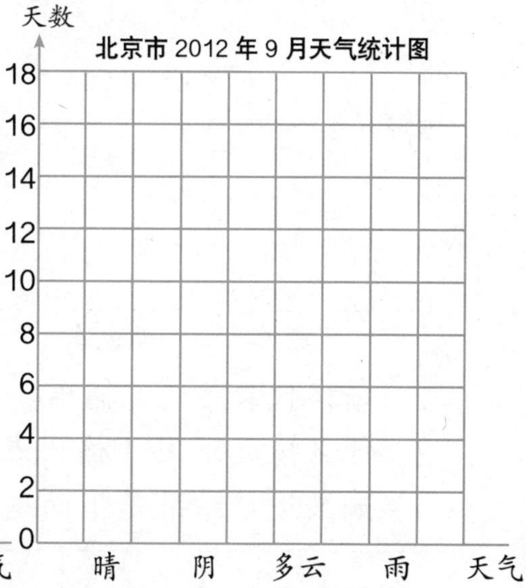


(1) 9月和8月比较，天气有什么变化?

(2) 9月北京已正式进入秋季，你认为北京9月的天气有什么特点?

**3** 这是几个同学在一个路口统计了 20 分钟后，得到的几种机动车通过的辆数统计表。

| 机动车 |  轿 车 |  面包车 |  客车 |  货车 |
|---|---|---|---|---|
| 辆　数 | 50 | 30 | 25 | 10 |

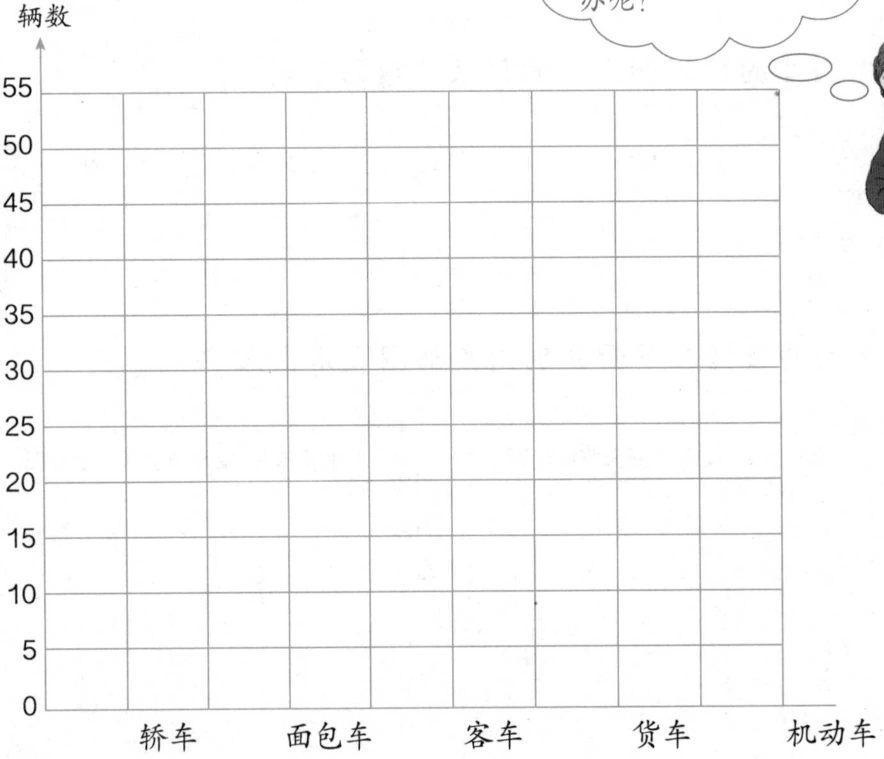


（1）每格代表（　　）辆车。

（2）什么情况下用 1 格代表 5 辆车比较合适？

（3）如果统计结果是下面这样，每格代表几合适？

| 机动车 | 轿　车 | 面包车 | 客　车 | 货　车 |
|---|---|---|---|---|
| 辆　数 | 60 | 30 | 40 | 10 |

## 做一做

**佳美电器商店电视机一周销售情况统计表**

| 星　期 | 一 | 二 | 三 | 四 | 五 | 六 | 日 |
|---|---|---|---|---|---|---|---|
| 销售量 / 台 | 15 | 10 | 20 | 25 | 30 | 50 | 45 |

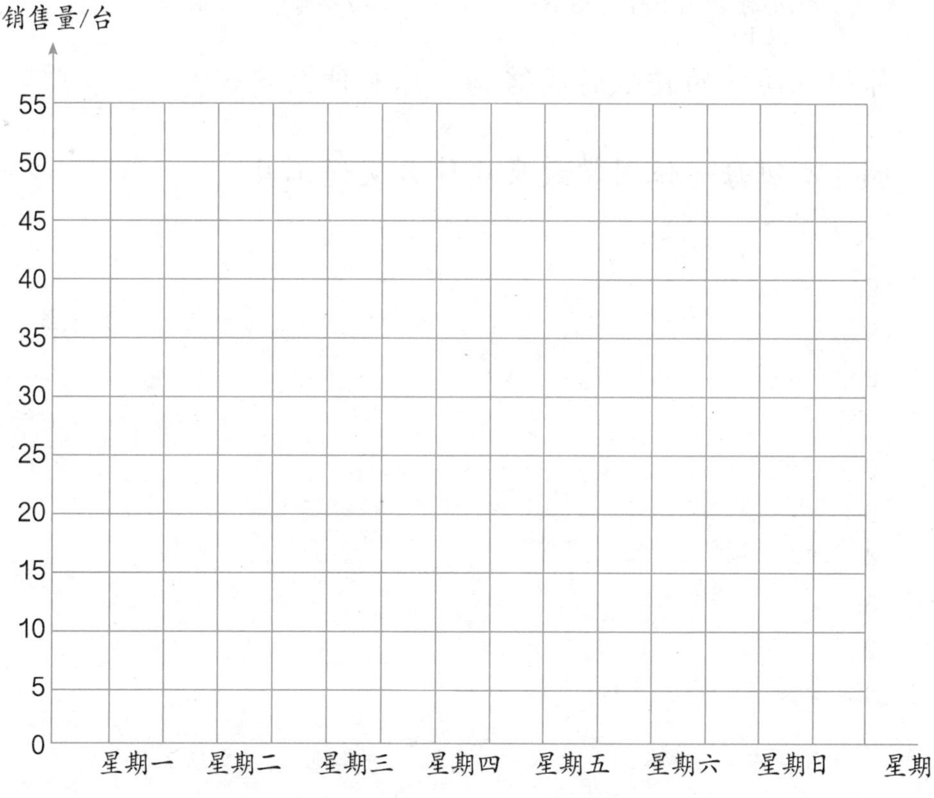


（1）这一周哪天销售量最多？哪天最少？

（2）你还能发现什么？你能提出什么建议？

# 练 习 十 九

1. 调查班里同学的睡眠时间。

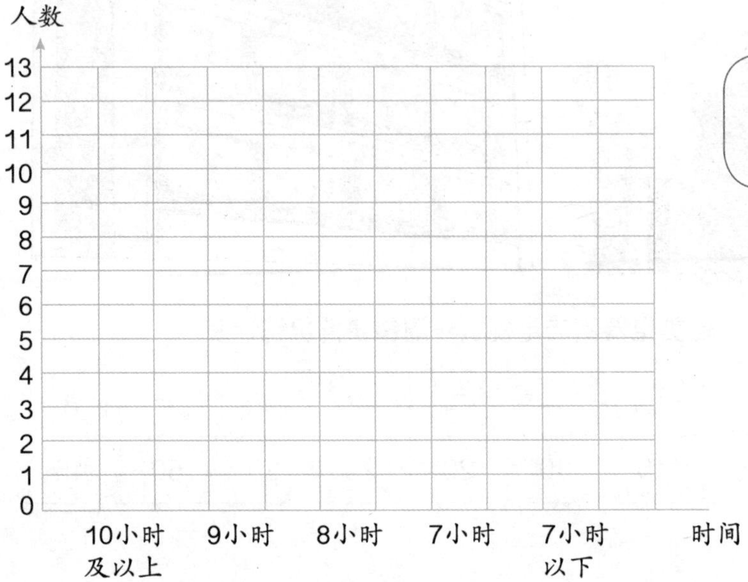

你们班同学的睡眠时间够吗？你有什么建议？

2. 调查本班每一位同学最喜欢什么交通工具。

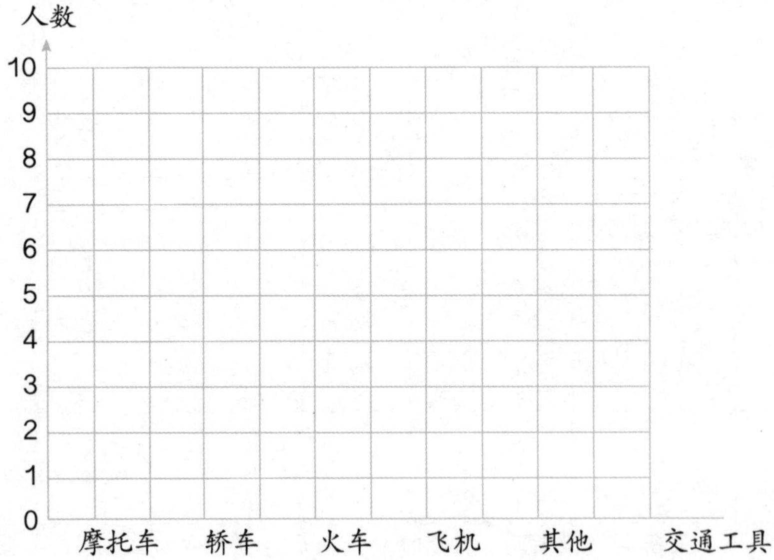


（1）最喜欢（　　）的人数最多，最喜欢（　　）的人数最少。

（2）你还能提出什么问题？

3. 同学们最喜欢下面哪个卡通形象？

下面是四（1）班同学调查的结果。

第一组：

| 卡通形象 | 喜羊羊 | 麦 兜 | 图 图 | 孙悟空 |
|---|---|---|---|---|
| 人 数 | 5 | 0 | 4 | 3 |

全 班：

| 卡通形象 | 喜羊羊 | 麦 兜 | 图 图 | 孙悟空 |
|---|---|---|---|---|
| 人 数 | 18 | 5 | 14 | 10 |

把统计的结果分别在下面用条形图表示出来。

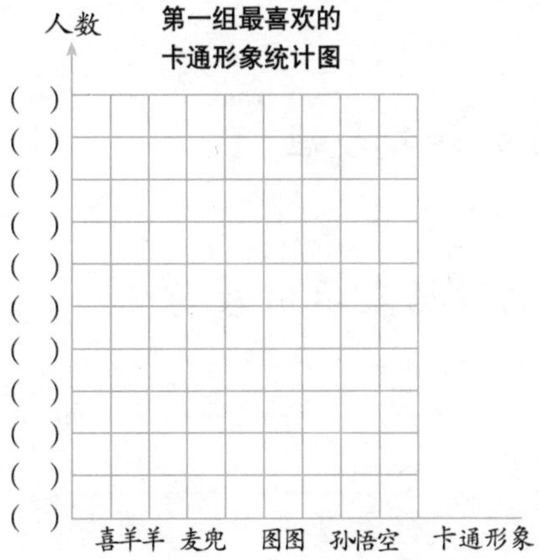


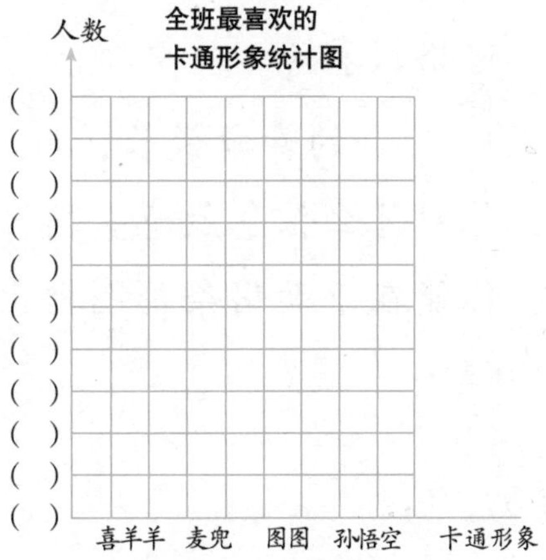


（1）第一组的图每格代表（　　）人，全班的每格代表（　　）人。

（2）交流一下，通过条形图你获得了什么信息。

4. 调查班里同学的上学方式，并完成下面的条形图。

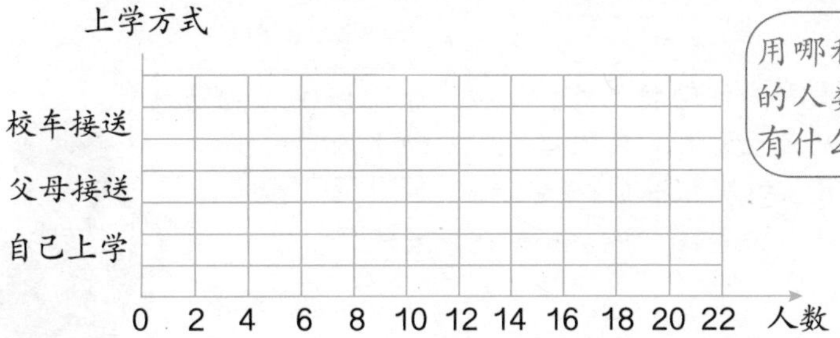

5. 下面是几种动物的平均寿命。

| 种　类 | 狗 | 长颈鹿 | 大　象 | 河　马 |
|---|---|---|---|---|
| 平均寿命 / 年 | 10 | 25 | 75 | 40 |

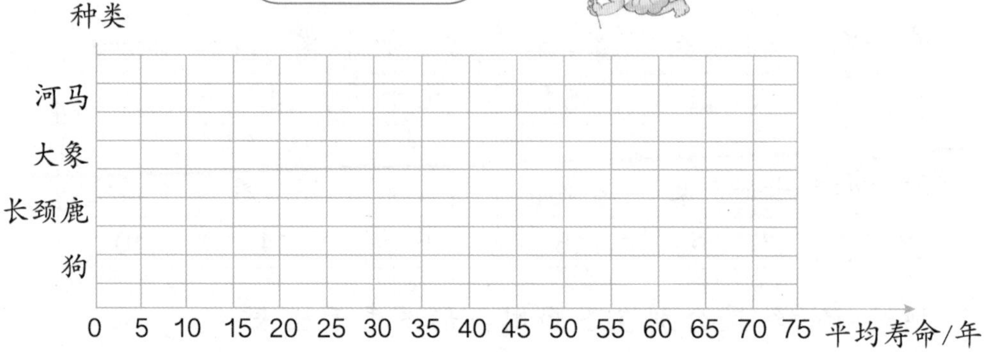


（1）每格代表（　）年。

（2）（　　）的寿命最长，（　　）的寿命最短。

（3）你对什么信息最感兴趣？

（4）你能在下面用条形图把上面的数据表示出来吗？

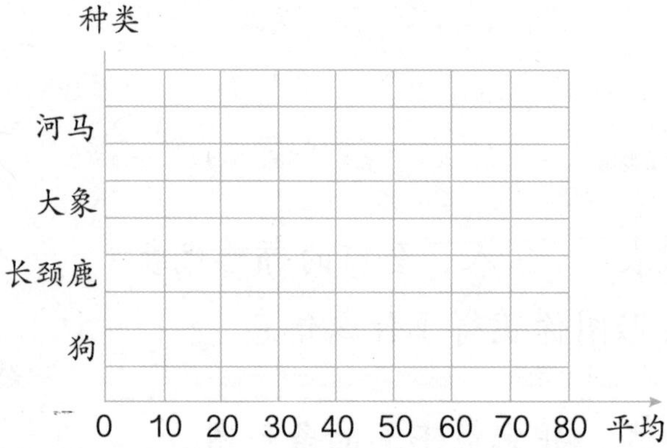

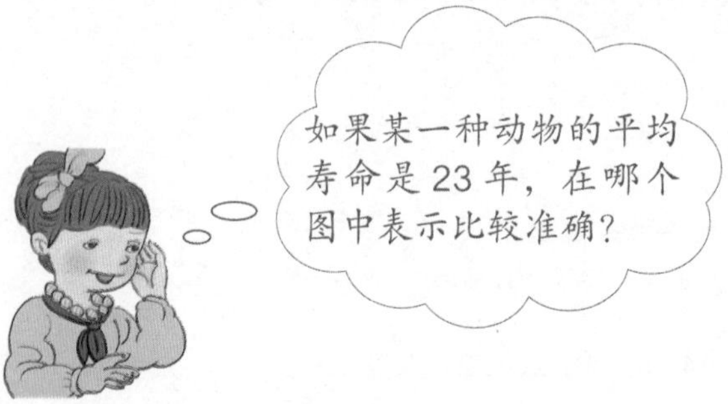

6. 下面是2012年伦敦奥运会奖牌榜前四个国家的获奖情况。

| 奖牌榜 | 金 | 银 | 铜 | 总数 |
|---|---|---|---|---|
| 1 美国 | 46 | 29 | 29 | 104 |
| 2 中国 | 38 | 27 | 23 | 88 |
| 3 英国 | 29 | 17 | 19 | 65 |
| 4 俄罗斯 | 24 | 26 | 32 | 82 |

选择一类奖牌把前四名的奖牌情况在下图中表示出来。

（1）每格代表（ ）枚。其他同学表示的是什么奖牌的数量？每格代表几枚？为什么？

（2）（ ）的（ ）牌枚数最多。

7. 下面是一个报刊亭一个月卖出的杂志数量统计表。

| 种类 | 汽车 | 运动 | 时尚 | 娱乐 | 经济 | 饮食 | 其他 |
|---|---|---|---|---|---|---|---|
| 本数 | 300 | 800 | 1200 | 1000 | 500 | 700 | 200 |

（1）用条形图表示上面这些数据，1格代表（ ）本合适。

（2）你能得到什么信息？

本单元结束了，你有什么收获？

统计表和条形图都可以表示数据，表示数据还有其他方式吗？

成长小档案

★★★★
★★★

条形图1格表示几，要根据具体情况来确定。

# 8 数学广角 — 优化

1

烧水：8 分钟

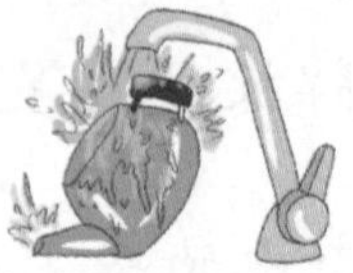

洗水壶：1 分钟

洗茶杯：2 分钟

接水：1 分钟

找茶叶：1 分钟

沏茶：1 分钟

洗水壶 → 接水 → 烧水 →

这个过程可以用图来表示。

要烧水，必须先洗水壶，接水。
等待水开的时间可以做点什么呢？

怎样安排比较合理并且省时间？和同学讨论一下。

**2**

每次最多只能烙2张饼，两面都要烙，每面3分钟。
爸爸、妈妈和我每人1张。

怎样才能尽快吃上饼？

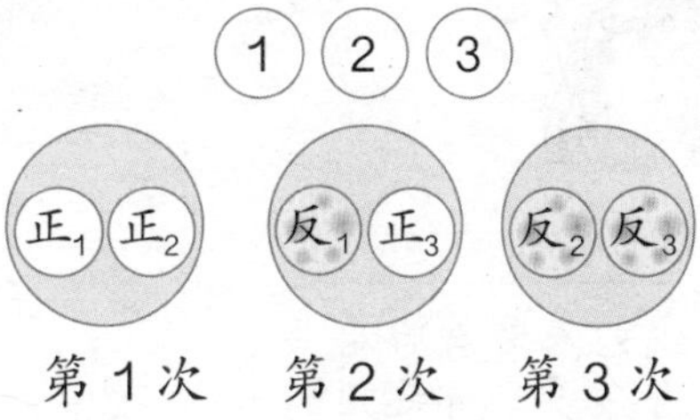


哪种方法比较合理？如果要烙4张饼、5张饼、6张饼……呢？你发现了什么？

## 做一做

1.

| | |
|---|---|
| 找杯子倒开水 | 1分钟 |
| 等开水变温 | 6分钟 |
| 找感冒药 | 1分钟 |
| 量体温 | 5分钟 |

小红感冒了，吃完药后要赶快休息。她应如何合理安排左边的事情？

2. 一种电脑小游戏，玩1局要5分钟，可以单人玩，也可以双人玩。小东和爸爸、妈妈一起玩，每人玩两局，至少需要多少分钟？

**3** 小朋友，你听过“田忌赛马”的故事吗？田忌是怎样赢了齐王的？

| | 齐　王 | 田　忌 | 本场胜者 |
|---|---|---|---|
| 第一场 | 上等马 | | |
| 第二场 | 中等马 | | |
| 第三场 | 下等马 | | |

田忌所用的这种策略是不是唯一能赢齐王的方法？

下等马
上等马

我们来看看田忌共有多少种可采用的应对策略。

| | 第一场 | 第二场 | 第三场 | 获胜方 |
|---|---|---|---|---|
| 齐　王 | 上等马 | 中等马 | 下等马 | |
| 田忌 1 | | | | |
| 田忌 2 | | | | |
| 田忌 3 | | | | |
| 田忌 4 | | | | |
| 田忌 5 | | | | |
| 田忌 6 | | | | |

## 做一做

两人玩扑克牌比大小的游戏，每人每次出一张牌，各出 3 次，赢两次者胜。

小红拿的是右边下面一组的牌，她有可能获胜吗？

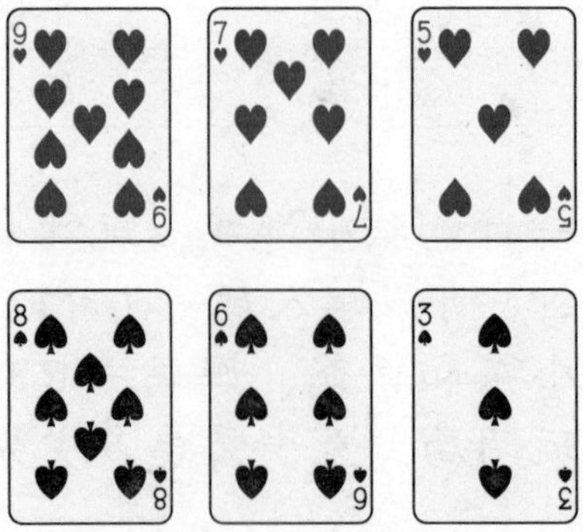

# 练 习 二 十

1. 爸爸开车和妈妈一起从家外出办事。爸爸要去办公室取资料，妈妈要去商场购物。

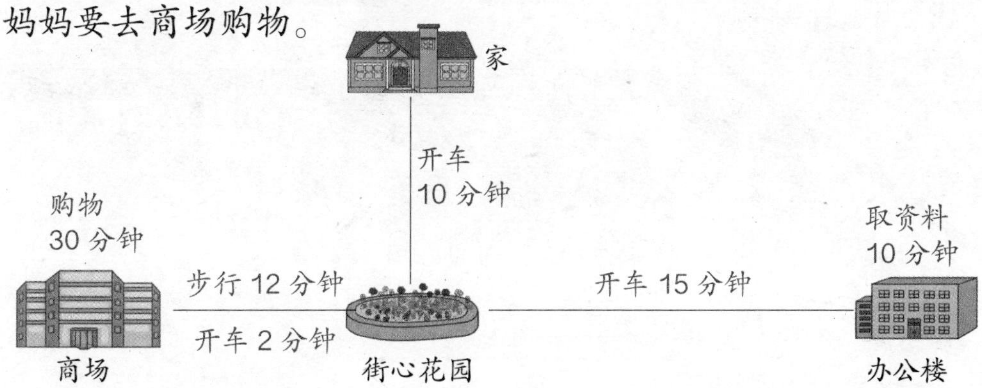


上面是他们的行走路线和所用时间。他们办完这些事回到家，至少需要多长时间？

2. 下面三位同学要去量身高、验视力，每项检查都要 3 分钟，他们至少要用多长时间能做完这些检查？

3. 拍球比赛（五局三胜）

| | | | | | |
|---|---|---|---|---|---|
| 第 1 队： | 陆　莎 | 赵天骁 | 陶欣然 | 杜小雯 | 程　刚 |
| | 230 下 | 220 下 | 205 下 | 180 下 | 155 下 |
| 第 2 队： | 宋圆圆 | 肖　刚 | 何文龙 | 刘佳佳 | 朱　曼 |
| | 220 下 | 210 下 | 190 下 | 165 下 | 150 下 |

如果比赛中每个人都发挥正常，第 2 队怎样对阵才能获胜？

4.

他们每人点了两个菜。

假设两个厨师做每个菜的时间都相等，应该按怎样的顺序炒菜？说说你的理由。

**数学游戏**

两人轮流报数，每次只能报 1 或 2，把两人报的所有数加起来，谁报数后和是 10，谁就获胜。

如果让你先报数，为了确保获胜，你第一次应该报几？接下来应该怎么报？

本单元结束了，你有什么收获？

成长小档案

★★★★
★★★★

用图示的方法解决问题真的很有用哟！
把一些事情同时做能省时间。

# 9 总复习

**成长小档案**

★★★★★
★★★★

这学期学习了什么？
请用自己的方式整理一下。

认识了更大的数，会分级读、写大数……

1. 亿级 ⋮ 万级 ⋮ 个级
   5080 ⋮ 4000 ⋮ 0000
   五千零八十亿四千万
2. 300000000=3亿
   1276270000≈13亿

知道了什么是平行四边形、梯形。

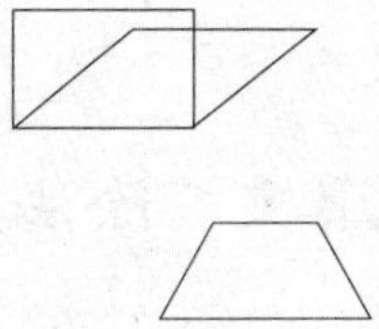

学习了乘数、除数是两位数的乘、除法……

1. 145×12　　　896÷26
2. 6×2=12　　　72÷9=
   6×20=　　　720÷90=
   6×200=　　7200÷900=

学会了用条形图表示数据。

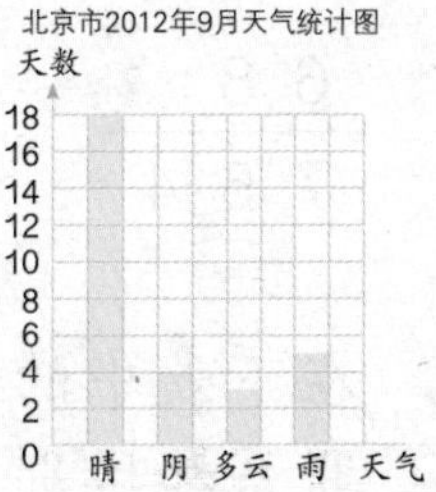


学习中最有收获的是什么？

我能用积、商变化的规律来简算了。

我知道了数是怎么产生的。

用“田忌赛马”的策略解决问题很奇妙！

1.

| 数级 | …… | 亿级 | | | | 万级 | | | | 个级 | | | |
|---|---|---|---|---|---|---|---|---|---|---|---|---|---|
| 数位 | …… | 千亿位 | 百亿位 | 十亿位 | 亿位 | 千万位 | 百万位 | 十万位 | 万位 | 千位 | 百位 | 十位 | 个位 |
| | | | | | | | | | | | | | |

（1）在上面的数位顺序表中，写出一个数，让同桌同学读出来。再任意指出这个数中的数字，说出它们的含义。

（2）写出一个数读出来，让同桌同学写出来，看看与你写的一样吗？

你是怎么读、写多位数的？

你能将写出的数，改写成以“亿”或“万”为单位的数吗？

2. 先想一想笔算乘、除法应注意什么，再分析下面题的错误原因。

```
  34          143            4           5
× 21        ×  26      90)365      68)408
----        -----         36          340
  84          648         --          ---
 68          286           5           68
----        -----
 764         3508
```

3. 在下表中的适当空格内填上“√”，再说一说几种图形之间的联系和区别。

| 四边形 | 四边相等 | 两组对边分别相等 | 只有一组对边平行 | 两组对边分别平行 | 有四个直角 |
|---|---|---|---|---|---|
| 正方形 | | | | | |
| 长方形 | | | | | |
| 平行四边形 | | | | | |
| 梯形 | | | | | |

4. 育民小学各年级男、女生戴近视镜的同学人数如下表。

| 年级<br>人数<br>性别 | 一 | 二 | 三 | 四 | 五 | 六 |
| --- | --- | --- | --- | --- | --- | --- |
| 男 | 3 | 5 | 10 | 19 | 25 | 32 |
| 女 | 2 | 4 | 11 | 22 | 25 | 30 |

根据上表中的数据完成下面的条形图。

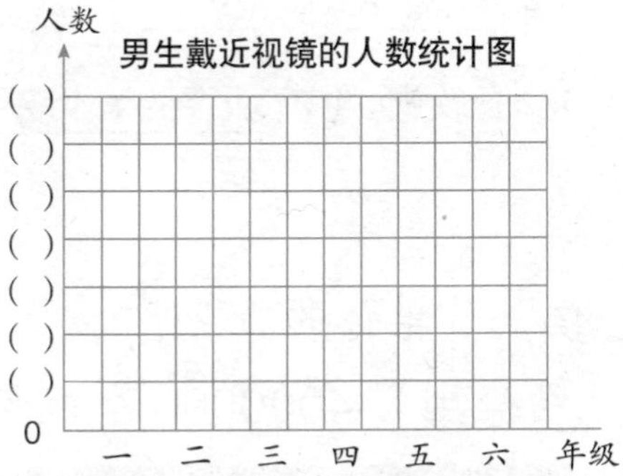


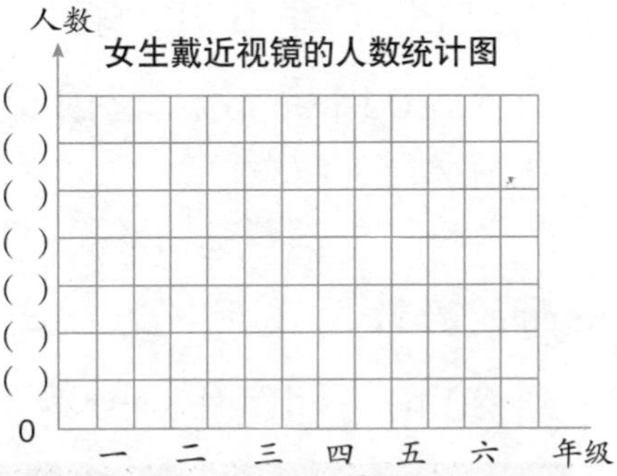


（1）四年级戴近视镜的有多少人？

（2）哪几个年级戴近视镜的人数比较多？哪几个年级戴近视镜的男生比女生多？

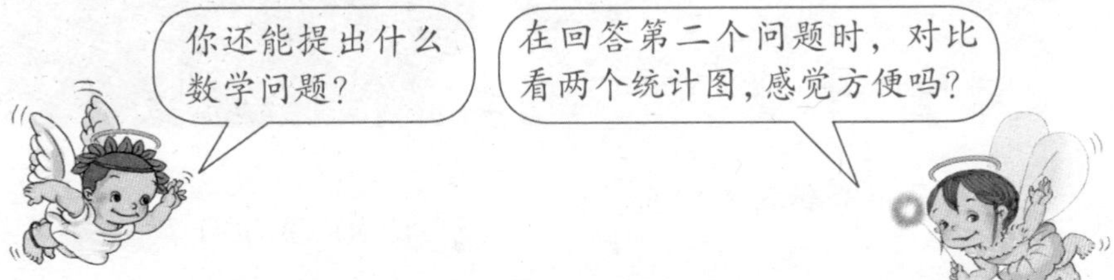

你还能提出什么数学问题？
在回答第二个问题时，对比看两个统计图，感觉方便吗？

你能借助②号杆把①号杆上的珠子移到③号杆而不改变珠子的上下顺序吗？最少移动多少次？

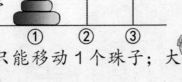

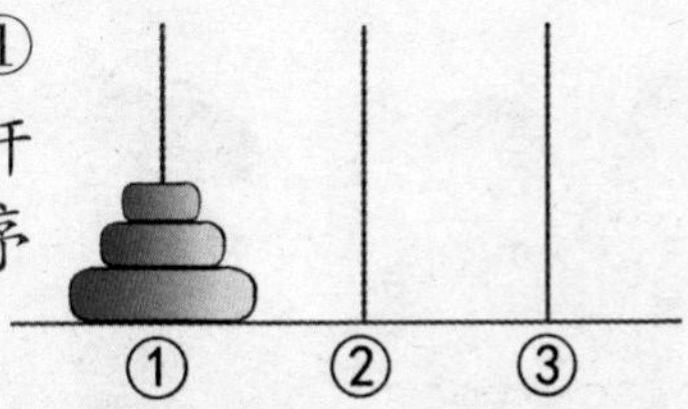

移动规则是：每次只能移动 1 个珠子；大珠子不能放到小珠子上面。

如果①号杆上有 4 个珠子呢？

# 练习二十一

1. 读出下面各数。

30600　　7056200　　13820000

504200　　12000900　　406098000

2. 写出下面横线上各数。

（1）截至 2006 年 6 月，我国青少年上网人数约为三千万人。

（2）截至 2011 年底，我国小学专任教师约有五百六十万四千九百人。

3. 将下面的数改写成用“万”或“亿”作单位的数。

（1）到 2010 年 10 月，世界上大约诞生了 4000000 个试管婴儿。

（2）

人造卫星每分钟行 490000 米。

用最大的天文望远镜至少可以看到 1000000000 颗星。

（3）

我国每年生产和丢弃的一次性筷子达 45000000000 双，需要砍伐 25000000 棵树。

4. 口算，看谁算得都对。

40×8=　　120×6=　　72-48=

420÷6=　　450÷5=　　360+90=

5×16=　　11×60=　　9×50=

810÷90=　　630÷3=　　560÷40=

23×4=　　54÷3=　　7×50=

60÷30=　　18×3=　　250÷50=

5. 计算下面各题，并且验算。

125×43　　665÷25　　54×69　　168÷32

952÷28　　240×36　　390÷60　　207×40

6. 王阿姨的花店上月卖出几种花的情况如下表，请在空格中填上适当的数。

| 花　名 | 单价 / 元 | 数量 / 盆 | 总价 / 元 |
| --- | --- | --- | --- |
| 茉　莉 | 37 | | 259 |
| 水　仙 | | 14 | 224 |
| 杜　鹃 | 21 | 98 | |

7. 不计算，直接写出下面两题的积或商。

45÷9=5　　28×14=392　　840÷24=35

90÷18=　　280×14=　　840÷12=

180÷36=　　28×140=　　1680÷24=

8. 欣欣家今年前4个月的电话费是300元，平均每个月电话费是多少元？照这样计算，一年的电话费是多少元？

9. 画出下面的角，并说一说分别是哪一种角。

40°　　90°　　145°　　180°　　360°

10. 利用下面的平行线画一个长方形和正方形。

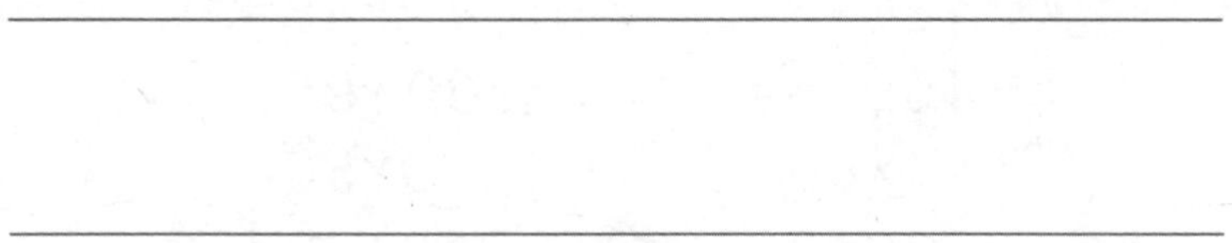

11. 把符合要求的图形序号填在括号里。

A. 正方形　B. 长方形　C. 平行四边形　D. 梯形

（1）两组对边分别平行，有四个直角。（　　）

（2）只有一组对边平行。（　　）

（3）两组对边分别平行。（　　）

12. 我国2006年自然保护区的数量如下表。

| 类　别 | 国家级 | 省　级 | 市　级 | 县　级 |
|---|---|---|---|---|
| 数量 / 个 | 265 | 793 | 422 | 915 |

请根据以上数据完成下面的条形图。

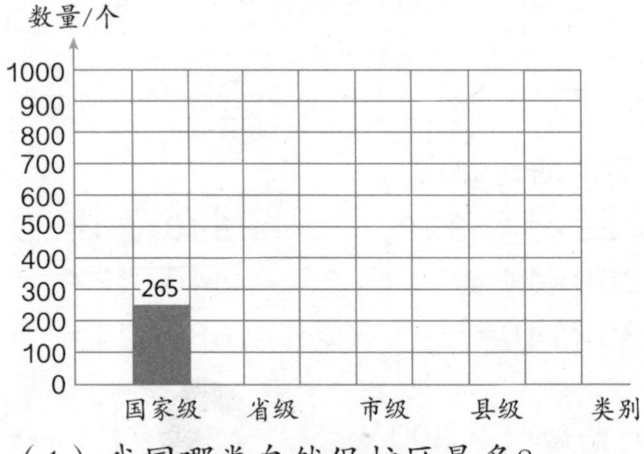


（1）我国哪类自然保护区最多？

（2）我国自然保护区的总数量是多少？

13. 口算。

| | | | |
|---|---|---|---|
| 560÷80= | 60÷30= | 720÷90= | 85÷5= |
| 78×2= | 400÷50= | 34×4= | 270÷30= |
| 630÷70= | 160÷40= | 5×24= | 360÷60= |

14. 填空。

（1）4607000430 是一个（　　）位数，最高位是（　　）位，7 在（　　）位上，表示 7 个（　　）。

（2）40200 ◯ 42000　　70 万 ◯ 690000

430×30 ◯ 43×300

（3）一个乘法算式的积是 50，一个因数乘 12，另一个因数不变，积是（　　）。

（4）一个除法算式中，被除数除以 4，要使商不变，除数要（　　）。

15. 下面的说法对吗？正确的在（　）里画“√”。

（1）一个八位数，它的最高位是亿位。（　　）

（2）两条平行线长都是 4 厘米。（　　）

（3）梯形有一组对边平行。（　　）

（4）5 平方千米 =500 公顷（　　）

16. 小丽家的居民楼有三个单元。下面是该楼的住户 10 月份的用水情况统计表。

| 单　元 | 户数 / 户 | 总用水量 / 吨 | 平均每户用水量 / 吨 |
|---|---|---|---|
| 一 | 18 | 216 | |
| 二 | 20 | 200 | |
| 三 | 18 | 198 | |
| 总计 | | | |

（1）把上表填完整。

（2）第二单元共交水费 600 元，计算出全楼应交的水费。

17. 举例说明 1 公顷、1 平方千米各有多大。

18. 画一个和右边大小、形状相同的梯形，再在里面画一条线段，把它分成一个平行四边形和一个三角形。

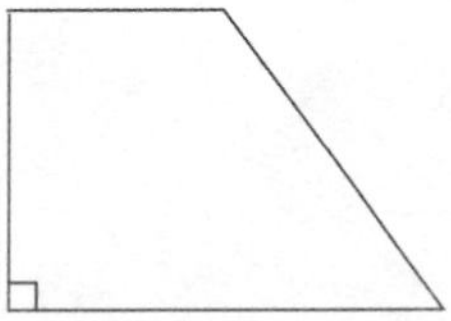

# 自我评价

同学们，这学期要结束了，给自己的表现画上小红花吧！

| 学习表现 |  |  |  |
|---|---|---|---|
| 喜欢学习数学 | | | |
| 愿意参加数学活动 | | | |
| 上课专心听讲 | | | |
| 积极思考老师提出的问题 | | | |
| 主动举手发言 | | | |
| 喜欢发现数学问题 | | | |
| 愿意和同学讨论学习中的问题 | | | |
| 敢于把自己的想法讲给同学听 | | | |
| 认真完成作业 | | | |

你觉得你还应该在哪些方面更努力些？

附页：

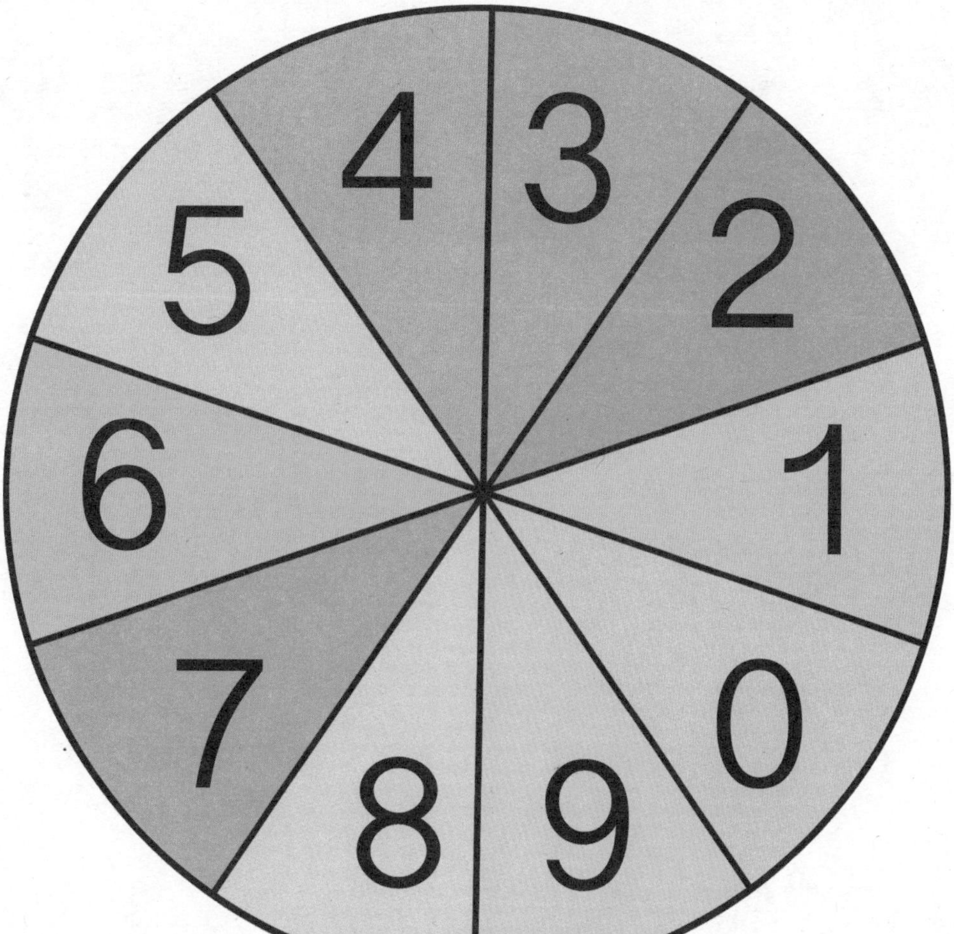


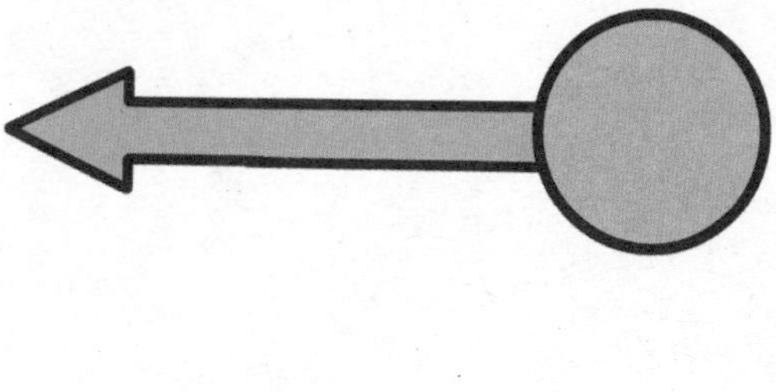

# 后　记

本册教科书是人民教育出版社课程教材研究所小学数学课程教材研究开发中心依据教育部《义务教育数学课程标准》（2011年版）编写的，经国家基础教育课程教材专家工作委员会2013年审查通过。

本册教科书集中反映了基础教育教科书研究与实验的成果，凝聚了参与课改实验的教育专家、学科专家、教研人员以及一线教师的集体智慧。我们感谢所有对教科书的编写、出版提供过帮助与支持的同仁和社会各界朋友，以及整体设计艺术指导吕敬人等。

本册教科书出版之前，我们通过多种渠道与教科书选用作品（包括照片、画作）的作者进行了联系，得到了他们的大力支持。对此，我们表示衷心的感谢！但仍有部分作者未能取得联系，恳请入选作品的作者与我们联系，以便支付稿酬。

我们真诚地希望广大教师、学生及家长在使用本册教科书的过程中提出宝贵意见，并将这些意见和建议及时反馈给我们。让我们携起手来，共同完成义务教育教材建设工作！

联系方式
电子邮件：jcfk@pep.com.cn

人民教育出版社 课程教材研究所
小学数学课程教材研究开发中心
2013年5月